Michael Marquard

DAS MENSCHLICHE RAUBTIER

Ein Lebensbuch

das.menschliche.raubtier@gmx.de

© 2021 Michael Marquard

Bilder: https://pixabay.com/de/service/terms/

Verlag & Druck: tredition GmbH, Halenreie 40-44, 22359 Hamburg

ISBN: 978-3-347-37578-9 (Paperback)
ISBN: 978-3-347-37579-6 (Hardcover)
ISBN: 978-3-347-37580-2 (e-Book)

Das menschliche Raubtier !?

In dieser kleinen Reise, die wir hier starten, geht es nicht nur um mich – eher um uns alle als Mensch und ab und zu auch als das menschliche Raubtier.

Du bist herzlich eingeladen in diese bekannte oder ab und zu auch unbekannte Welt in uns und um uns. Besteht die Möglichkeit ein erfülltes Leben mit einfachen Mitteln mit Verantwortlichkeit und Individualität leben zu können.

In den Gedanken und im wahren Leben im Einvernehmen mit sich und anderen zu Leben. Alle Anforderungen und Erwartungen zu erfüllen. Stärke und Schwäche zu zeigen.

Also das zutiefst Menschliche in uns.

Da fällt mir noch was ein, dieses Lebensbuch hat keine Kapitel. Keine klare Reihenfolge oder Vorgabe wie und wann Du etwas lesen möchtest.

Erst Recht keine Vorgabe wie Du ab jetzt anders mit Menschen umgehen solltest.

Nur eine kleine Bitte habe an Dich: Denke mal öfters an Dich und andere. Die Pausen die ich Dir ab und zu mal anbiete, kannst Du machen – musst Du aber nicht.

Noch was über mich: Ich bin kein Life Coach, kein Therapeut, Psychologe, Psychiater kein Seelendoktor. Erst Recht keiner der die Weisheit mit einem ganz großen Löffel gefressen hat.

Bei Fragen oder Problemen, die Du hast, wende Dich immer an einen, der sich verständnisvoll um die psychischen Probleme eines anderen kümmert. Diese Menschen machen es Hauptberuflich und haben lange dafür studiert.

Ein Psychiater hat Medizin studiert und anschließend eine Ausbildung zum Facharzt für Psychiatrie und Psychotherapie absolviert. Ein Psychologe hat Psychologie studiert. Als Psychotherapeut kann er erst nach Abschluss einer mehrjährigen Ausbildung tätig werden.

Ich bin ein Mensch mit ein paar Jahren Lebenserfahrungen. Der den Entschluss gefasst hat, dieses Lebensbuch zu schreiben.

Zum Thema Texte und Bilder.

Texte und Bilder miteinander zu kombinieren, ist in allen Kulturen wahrnehmbar und spürbar. Dies kann wohl darauf zurückgeführt werden, dass man ein Bild, anders als einen Text, innerhalb von nur wenigen Sekunden erschließen kann.

Sie wecken schnell das Interesse des Betrachters, lösen häufig bestimmte Emotionen aus und wirken auflockernd. Im Idealfall kann ein Bild eine Botschaft untermauern.

In der Geschichte der Menschheit wurde genau dieses praktiziert. Es ist deutlich erkennbar, welche wichtige Rolle der Einsatz von Bildern hat.

In den sozialen Medien oder auch Printmedien, Bilder sind zu einem ständigen Begleiter im Leben eines jeden Menschen geworden.

Bilder begleiten uns in allen Bereichen, angefangen von den Graffiti an Häusern bis zur etablierten Werbung.

Es lässt sich schon an diesem Beispiel zeigen, dass Text Bild-Kombinationen uns alle auf seltsame, geheimnisvolle Weise fasziniert, fesselt und anzieht.

Die Bilder in meinem Lebensbuch fungieren gleichsam als bildliche Fortsetzung des Wortes. Die Informationen finden sich im Text oder im Bild. Wer sie erkennt, kann die Inhalte besser verstehen.

So, das musste mal eben gesagt werden, bevor es nun auf die Reise geht.

Die meisten Menschen nutzen bei Weitem nicht ihre vollen Möglichkeiten aus. Erst nach und nach entwickeln wir uns weiter, unser Leben lang.

Nichts ist so individuell wie persönliches Wachstum. Nur du selbst kannst herausfinden, was du brauchst und was für dich hilfreich ist.

Den einen richtigen Weg für dich findest nur du selbst.

Um dich weiterzuentwickeln, musst du neue Erfahrungen machen und andere Denkweisen kennenlernen. Je aufgeschlossener du bist, umso leichter wird es dir fallen, vorwärtszukommen. Für deine Persönlichkeitsentwicklung bist nur du selbst verantwortlich.

Du brauchst keinen einwandfreien Körper, keine aufgedonnerte Wohnung und keinen Reichtum, um glücklich zu sein.

Du bist gut, so wie du bist.

Die Wörter, Sätze und Ideen sind in den letzten Jahren, Monaten und Tagen in meinem Kopf aufgetaucht und nun habe ich das endlich zu Papier gebracht.

Aber es könnte sein, dass du das eine oder andere schon gelesen hast. Aussagen die dir sehr bekannt vorkommen. Du der felsenfesten Überzeugung bist:

Das sind deine Gedanken und Worte.

Oh – ein Plagiat, ein Dieb geistigen Eigentums, das sind doch alles fremde geistige Leistungen.

Nein!

Es gibt kein Copyright auf Lebenserfahrung, oder auf Situationen und Erlebnisse die einen prägen oder von den Füßen hauen.

Alles, was ich hier geschrieben habe, das habe ich auch persönlich erlebt oder gelernt.

Ein besonderes Dankeschön geht an alle meine Wegbegleiter, für die Erfahrungen und Unterstützungen, ein wenig als Trainer oder Lehrer.

Als gutes Vorbild und ab und zu auch als warnendes Beispiel.

Ich werde keine endlose Aufstellung zu Papier bringen, aber meine Ehefrau Michaela muss und darf ich hier erwähnen. Danke für Rückhalt, Einsicht, Nachsicht, gemeinsames Lachen und Weinen. Gaby nicht zu vergessen, endlose Stunden am Telefon um den einen wichtigen Rechtschreibfehler zu finden. Tina, ein echtes Korrekturmonster. Jutta, auch Dir ein Dankeschön.

Nicht zu vergessen meine Freunde und meine Feinde.

Viel Spaß und Freude,

beim Lesen und Nachdenken.

Eine Sache habe ich noch da das Thema so viele Blickwinkel und auch eigene Vorstellungen, Ideen und Erfahrungen beinhaltet, verurteile mich nicht, sollte das menschliche Raubtier in Dir das eine oder andere anders Wahrnehmen als ich.

Und nun schauen wir uns dieses menschliche Raubtier, in uns mal etwas genauer an.

Das menschliche Raubtier in uns oder wie wir Menschen ticken.

Du kannst andere nicht verändern,
aber Du kannst Dich verändern.

Wenn das menschliche Raubtier in Dir wieder einmal auf Beute geht, oder sich schlecht fühlt, sucht es die Schuld vor allem bei anderen Raubtieren (Menschen) oder in äußeren Umständen. Schuld bei anderen zu suchen, ist übrigens typisch Raubtier.

Weil Du andere menschliche Raubtiere nicht verändern kannst, auch wenn Dein menschliches
Raubtier in Dir, fest davon überzeugt ist.

Du kannst DEIN DENKEN über

andere menschliche Raubtiere

verändern.

Wenn Du Dich wieder einmal schlecht fühlst, dann
denke doch mal in Ruhe darüber nach (aber glaube
Deinem menschlichen Raubtier nicht alles), was
das Ganze mit Dir zu tun hat.

Ich zum Beispiel hatte auch einen Automatikmodus, gesteuert von meinem menschlichen Raubtier.

Jedes Mal, wenn sich mein Raubtier ungerecht behandelt fühlte, dann brach ich den Kontakt mit dem anderen Raubtier ab.

Und ich habe das oft gemacht, über viele Jahre bis mir klar wurde, dass ich diesen Automatikmodus als Kind gelernt hatte und seitdem im Kontakt mit anderen Raubtieren das ständig wiederholte.

Erst als mir das bewusst wurde, konnte ich meinen Automatikmodus bzw. den von meinem menschlichen Raubtier verändern.

Das menschliche Raubtier
in uns?

Jeder denkt nur an sich
aber ich denke an mich.
So einfach ist das Leben.

Im täglichen Leben versuchen wir immer alles, dass wir bei jedem Wort oder bei jeder Handlung, die wir durchführen, immer in einem schönen Licht stehen.

Wir sind immer darauf aus, unser kleines Revier zu verteidigen.

Jeder von uns ohne Ausnahme und dass in jeder Sekunde in der wir existieren.

Mal so unter uns:

Sind wir nicht alle Raubtiere und unser Futter sind die Menschen, die uns zu begegnen?

Wir versuchen immer, dass diese Personen uns glauben, dass wir immer nur Ihr Bestes wollen, klar doch – das will ich auch.

Egal wie Alt wir sind, angefangen vom Baby über das Kleinkind, zum Jugendlichen, über den Erwachsenen bis zum alten Greis.

Denke mal kurz darüber nach:

Wir alle sind nicht fair!

Keiner von uns! Niemals!

Wir sind immer darauf aus unser kleines Revier zu verteidigen, jeder von uns ohne Ausnahme und dass in jeder Sekunde in der wir Leben.

Ich höre schon die Aufschreie: NEIN, NEIN,NEIN

und nochmals

NEIN!

SO WAS MACH ICH NICHT!

Blödsinn, keiner muss sich verteidigen, weil niemand angeklagt wird. Wer kann mich oder Dich für sein Denken und Handeln verurteilen?

Eigentlich keiner, der Grund liegt doch auf der Hand: Weil wir alle menschliche Raubtiere sind.

Natürlich, das kann nur einer schreiben, der verletzt worden ist. Klar, wer sonst?

Gibt es einen Menschen auf diesem Planeten, der noch nie verletzt oder verarscht wurde?

Früher oder später werden wir verletzt oder wir verletzen. Wir können nicht anders, es liegt an unserem menschlichen Raubtier!

Die Moralapostel unter uns werden bestimmt den Kopf schütteln und sagen nein:

Dass kann nicht sein, so bin ich nicht!

Hallo, mal in den Spiegel geschaut und so ganz für einen persönlich die eine oder andere Situation Revue passieren lassen?

Du musst nichts sagen, nur ehrlich zu Dir selber solltest Du sein!

Überings, es ist mal Zeit für eine Pause.

Verbringe jeden Tag,

einige Zeit mit Pausen.

Vergesse aber nicht weiter zu machen!

Ich verurteile Dich nicht, dazu habe ich auch kein Recht und keine Lust. Bin ja selber so ein menschliches Raubtier!

Oh,

ein menschliches Raubtier!

Stimmt, das bin ich.

Meine Erlebnisse und meine Erfahrungen.

Komm mit ich lade Dich ein auf eine Reise in die unbekannte und doch so vertraute Welt der menschlichen Raubtiere.

Wo fang ich an, Dir mein menschliches Raubtier vorzustellen?

Und was möchte ich eigentlich damit erreichen?

Eventuell nur eins, dass Du mal nachdenkst über:

Dein menschliches Raubtier

Der tägliche Wahnsinn.

Langsam komme ich aus der Welt der Träume in die Welt der Realität. Mein erster Gedanke? Blöder Wecker – oder nöh nicht, schon wieder aufstehen. Oder.... wow was für ein schöner Tag. Die Gedanken in der Morgendämmerung sind so vielfältig und jeden Morgen anders. Ich bin wach und wer noch? Ah, da ist es auch schon mein menschliches Raubtier – oder nennen wir es:

Lebenseinstellung? Charakter? Persönlichkeit?

Also bleiben wir der Einfachheit beim menschlichen Raubtier. Was habe ich heute vor?

Begleitet mich bei ein paar alltäglichen Ritualen, die jeder von uns in der einen oder anderen Reihenfolge durchläuft.

Raus aus den Federn, spreche mich nicht an.

Erstmal eine Rauchen. Kaffee oder Tee trinken. Liegestütze, egal. Bei mir? Kaffee und bitte keinen Sport. Reden geht.

Aber ist jeder Morgen gleich? Bei mir nicht, jeder neue Tag hat auch neue Erfahrungen, neue Impulse, neue Aufgaben. Aber bitte erst einen Kaffee. Was darf ich heute machen und was muss ich heute machen. Danke an das allumfassende mächtige Wesen in meinem Kopf – du Gehirn.

Kaum bin ich wach, hämmerst du mir auch schon Aufgaben für den neuen Tag in meinen Terminkalender.

Will nicht. Aber danach fragt keiner!

Wir können nicht einfach machen, was wir wollen,
unser ganzes Leben wird nicht von uns gesteuert,
es sind die Erfahrungen und die kleinen Zwänge,
die uns jeden Tag den Lebensweg aufzeichnen.

Das ist nicht so schlecht.

Es hilft Dir und allen anderen

menschlichen Raubtieren,

Abläufe besser zu verstehen.

Bei Dir ist das nicht so?

Okay, aber könnte es sein?

Stelle Dir mal vor, Du müsstest jeden Tag neu lernen:

Deine täglichen persönlichen Routinen, ob Zähneputzen (wie mache ich eine Zahnpastatube auf),

auf die Toilette gehen – (abziehen nicht vergessen oder wofür ist das Papier eigentlich da?) neu zu lernen?

Kaffee ? (Was zum Teufel ist Kaffee?)

50 Kniebeugen? (Warum sollte ich meine Knie beugen!?)

…..... und vieles mehr.

Egal, was Du jeden Morgen machst– das menschliche Raubtier in Dir hat es gelernt und macht es jetzt mit und für Dich. Deine Gewohnheiten laufen im Automatikmodus.

Warum ich das schreibe, ja es gibt Tage da bin ich das Raubtier und an anderen Tagen da bin ich nun mal die Beute.

Vor einiger Zeit da war ich ein bösartiges Raubtier, nein, eher ein ganzes Rudel von Raubtieren.

Ich habe keine Rücksicht genommen, nicht ein wenig, keinen Millimeter.

Mein menschliches Raubtier hat gewonnen, aber ich habe die, mmhhh Beute verloren.

Als ich dann später alleine in meiner (gedanklichen) Höhle war, da sind mir diese Gedanken durch den Kopf gegangen:

Warum hast Du das gemacht?

Diesen Kampf, was hast

Du gewonnen und

was verloren?

Nichts.... und fast alles.

So, da ist Sie nun.
Was ich Dir bereits
angedroht habe.
Mach mal eine
kleine Pause.

Manchmal ist das
Wichtigste am
ganzen Tag
eine kleine
Pause.

Und jetzt kann und werde ich mich ändern?

Versuchen werde ich es auf jeden Fall. Mal ein wenig mehr Rücksicht nehmen, meine Interessen etwas in den Hintergrund stellen, mehr hören, weniger sagen. Aber ich kann dieses menschliche Raubtier nicht zähmen, das in mir lebt, liebt und kämpft. Ich werde versuchen, einige Abläufe aus dem Automatikmodus zu entfernen.Eben mehr Rücksicht und Einsicht in mein Leben einzufügen.

Ob mir das gelingt?

Keine Ahnung!

Aber:

Ich könnte lernen, Situationen in meinem Leben nicht nur automatisch ablaufen zu lassen, sondern mehr Einfluss auf mich und meine Umwelt zu nehmen. Mein menschliches Raubtier etwas zu zähmen, dann besteht die Chance aus dem Raubtier in mir ein Wesen zu gestalten, dass ein wenig mehr Rücksicht und Einsicht hat. Mich nicht so viel im Automatikmodus durch mein Leben führt. Vielfältig und weise mich auf meinem Lebensweg begleitet, mich ab und zu beschützt, mit mir kämpft, weint oder lacht.

Eben ein gutes Team, mein menschliches Raubtier und ich, ohne andere Menschen und deren menschliche Raubtiere zu verletzen.

Was können wir nun gemeinsam mit unserem menschlichen Raubtier machen?

Wir ein Leben führen, das uns Freude, Spaß sowie den nötigen Respekt gegenüber unserer Umwelt sichert!

Wenn ich darauf eine Antwort hätte, dann würden alle Probleme, die wir im täglichen Miteinander haben, ob privat oder beruflich, der Vergangenheit angehören.

Ich habe schon einige Situationen in meinem Leben erlebt und meine Erfahrungen haben mir gezeigt, dass es eine Chance gibt unser menschliches Raubtier so einzusetzen, dass es nicht nur verteidigt oder angreift. Es besteht die Möglichkeit, in Harmonie mit unserem und auch den anderen menschlichen Raubtieren, zu leben und zu lieben.

Jeder von uns hat Ziele,

Wertvorstellungen,

Ideale, Wünsche und Träume.

Was aber hat das mit unserem menschlichen Raubtier zu schaffen?

Unser Charakter und unsere Persönlichkeit sind bei jedem anders, genauso wie Wertvorstellungen und Ziele.

Da wir aber fast immer im Automatikmodus durch unser Leben laufen, bestimmt sehr oft das Raubtier in uns, was wir wann, wo und wie machen.

Sind wir nun selbstbestimmt oder fremdbestimmt?

Gewinnen wir, wenn wir verlieren oder verlieren wir,

wenn wir gewinnen?

Die wichtigsten Spielregeln mit anderen Raubtieren:

Ehrlichkeit:

Wenn Du einen Fehler gemacht hast, dann gebe diesen zu und bemühe Dich sich um eine Lösung.

Kritik:

Äußere Dich nie über das Leben der anderen. Du weißt nicht, unter welchen Bedingungen er sein Leben bewältigen musste.

Sprachgebrauch:

Flüche nehmen Menschen als Zeichen von Aggressivität und fehlender Selbstbeherrschung wahr. Vermeide diese ebenso wie negative Wörter wie problematisch, schwierig oder unmöglich.

Stress:

Wenn ein Freund, Bekannter sich beschwert: Lasse ihn ausreden. Versuche den Grund seines Unmuts zu verstehen. Zeige Verständnis. Vermeide Grundsatzdiskussionen. Rechtfertige Dich nicht, suche die Schuld nicht bei anderen. Sondern zeige Lösungen.

Was das mit Deinem
menschlichem Raubtier
zu schaffen hat?

Nur DU kannst den
Automatikmodus VERÄNDERN!

Du musst es nur
MACHEN!

Viel Input, oder?

So viele Gedanken, so viele Ideen.

Du machst jetzt Pause! Bitte.....

*Häufige Pausen
fördern
Kreativität
und Leistung.*

Das Verändern Deines Automatikmodus lässt sich lernen! Grenzen, die wir uns setzen, existieren zuerst in unseren Köpfen. Meist können wir weit mehr leisten, als wir uns zunächst vorstellen können. Das Raubtier in uns steuert einen selbst und auch Deine Umwelt. Der Automatikmodus begleitet Dich nun in Deinem ganzen Leben.

Das Raubtier in Dir erwacht und übernimmt.

Nicht immer, aber immer öfter. Sammelt Erfahrungen, gestaltet unseren Charakter, die Persönlichkeit, unsere Ideale und Ziele, das Raubtier ist nun ein Teil von Dir! Aber was es im Automatikmodus macht und was nicht, das bestimmst nur Du.

Leider, aber erst, nachdem Du es losgelassen hast.

Der Mensch will das Unbekannte zum Bekannten machen. Er will neue Menschen kennenlernen, Probleme lösen. So macht er aus der Unsicherheit Sicherheit.

Du kannst Ziele erreichen, wenn DU Dich motivierst und DU Herausforderungen bestehst.

Das ist das ganze Geheimnis!

Grenzen dort zu akzeptieren, wo sie sich zeigen, ist eine Tragik im Leben der Menschen.

Grenzen sind nie dort, wo man sie gelten lässt – sie liegen viel weiter draußen, als man es ahnt.

Ob man sie ausloten und über-schreiten will, muss jede und jeder für sich selbst entscheiden.

DU ganz alleine bestimmst

Deinen Automatikmodus.

Motivation für menschliche Raubtiere! Stelle Dir mal die Frage:

Was beflügelt oder motiviert Menschen?

Wir Menschen möchten etwas mit unserer Tätigkeit bewirken. Wir alle möchten, dass das, was wir tun, Sinn hat und Sinn ergibt.

Bevor wir nun mal näher auf die Chancen der persönlichen Motivation kommen, hier mal einige Beispiele, wie wir uns nicht motivieren unseren Automatikmodus nicht verändern.

Alles so lassen wie es ist und nichts verändern!

Übervorteile andere Menschen regelmäßig!

Wenn Du immer an Deine eigenen Vorteile denkst und diese über alle Gefühle anderer stellst, dann werden alle sich selbstverständlich jederzeit wahnsinnig gern für Dich einsetzen!

Schuldzuweisung, ist auch eine Kunst!

Sage immer laut und deutlich, wer gerade Mist gebaut hat, so befreist Du die kreativen Energien der anderen!

Gebe anderen niemals genügend Zeit, sich zu äußern!

Unterbreche Sie ständig, winke Sie müde ab, wische Ihre Argumente radikal vom Tisch. So macht man sich beliebt.

Wann immer Dir die Argumente ausgehen, beginne laut zu schreien! Damit man Dich wenigstens gut hören kann.

Übe immer Druck auf andere aus, denn unterdrückte Menschen sind Dir gegenüber wohlgesonnen.

Was schreibt der Kerl da?

Der hat doch nicht mehr alle

Tassen im Schrank.

Das stimmt, ist ja mein Schrank.

Nicht den Kopf schütteln

und denken:

Nein, so was mache ich nie!

Lese einfach

mal weiter...

Zwinge anderen Deine Meinung auf, unabhängig davon, ob Deine Meinung unbedingt besser oder die richtige ist! Hauptsache, Du setzt Deinen Ansatz durch. Damit ersparst Du diesen armen Menschen die Notwendigkeit, selbst nachzudenken.

Man wird Dir ewig dankbar sein!

Wurstele ziel- und planlos durchs Leben, denn wer sich vorher nicht festgelegt hat, der kann auch keinen Misserfolg haben. Deine Mitmenschen lieben es, nicht zu wissen, wo es langgeht.

Achtung, jetzt folgt ein wenig Ironie.....!

Außerdem hast Du
den enormen Vorteil,
dass man Dich später
mit Sicherheit niemals
der Zielverfehlung
anklagen kann!

Wie schaffe ich es, mich selber zu motivieren?

Für mich stellt sich diese Frage gar nicht. Ich lebe in dem Bewusstsein, dass ich alle Lebensumstände selbst gewählt habe. Mit dieser inneren Einstellung lebt man motiviert.

Leistung resultiert aus Bereitschaft, Fähigkeit und Möglichkeit. Menschen engagieren sich nur, wenn es für sie Sinn ergibt!

Es gibt kein besseres Mittel sich selbst zu motivieren, als nutzen bietende Ziele. Aus Offenheit und klaren Zielen entsteht die größte Motivation.

Positives Selbstwertgefühl stärkt die Motivation. Auch Probleme und Schwierigkeiten müssen offen angesprochen werden, um daraus Ziele und das richtige Vorgehen zu entwickeln.

Selbstmotivation lässt sich lernen! Grenzen, die wir uns setzen, existieren zuerst in unseren Köpfen. Meist können wir weit mehr leisten als wir uns zunächst vorstellen können. Wir müssen es aber wollen! **Denke mal über folgende Aussagen nach:**

Dein Leben ist

- **eine Herausforderung... begegne ihr!**

- **ein Geschenk... nimm es an!**

- **ein Abenteuer... wage es!**

- **eine Pflicht... erfülle sie!**

- **ein Spiel... beteilige Dich an ihm!**

- **ein Geheimnis... lüfte es!**

- **eine Gelegenheit... ergreife sie!**

- eine Reise... mache sie bis zum Ende!

- ein Versprechen... halte es!

- ein Kampf... stelle Dich ihm!

Mal so unter uns.

Lebe Dein Leben
so wie Du es liebst,

denn Du lebst dieses
Leben nur einmal.

Während der Wunsch eher der Zündschlüssel ist, lässt sich der Wille mit dem Motor vergleichen. Nur ein starker Wille treibt Dich an, auf dem Weg zu bleiben. Ohne Willen nützen Selbstvertrauen, Ziele und Lebenssinn nicht viel.

Dabei müssen

Körper, Geist und Herz

an einem Strang ziehen,

die Sache also gemeinsam wollen.

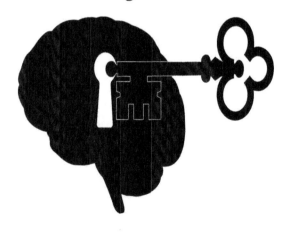

Der Wille und das Wollen.

Mit einem starken Willen lässt sich (fast) jedes Ziel erreichen. Die Fähigkeit, Entschlüsse zu fassen und sie in Handlung umzusetzen, macht den menschlichen Willen aus.

Der Wille gehört zu den zentralen Grundansätzen des Menschen, ist Ausdruck seiner Freiheit in der Lebens- und Weltgestaltung. Frei nach dem Motto: Wo ein WILLE ist da ist auch eine Weg.

Was ist Wollen? Das zielgerichtete Wollen passiert auf einer gewissen Wahlfreiheit und gründet in subjektiv bedeutsamen Motiven.

Mut

Mache Dich auf zu neuen Ufern. Das birgt Unsicherheit, die zu ertragen Mut verlangt. Du erträgst die Angst und gehst immer weiter. Mit Tollkühnheit und riskanten Manövern hat Mut aber nichts zu tun. Befrage darum auch immer Deinen Verstand.

Ausdauer

Für Dich zählt nur das Ziel und dafür arbeitest Du,
Egal, welche Hindernisse sich Dir in den Weg stellen. Manchmal musst Du so lange mit dem Kopf
gegen die Wand rennen, bis diese einstürzt. Ausdauer kann aber auch bedeuten, die Wand umgehen und einen neuen Weg einschlagen.

Konsequenz

Es gibt immer Ablenkungen. Wer willensstark ist,
lässt sich nicht vom Weg abdrängen. Und wenn es
doch einmal geschieht, dann kämpft er sich sofort
wieder zurück.

Selbstdisziplin

Wo ein Wille ist, gibt es auch genug Disziplin, jeden Tag hart daran zu arbeiten, dass das Ziel er-
reicht wird. Selbstdisziplin wurde nicht jedem in
die Wiege gelegt, aber sie ist erlernbar.

Nach einer kurzen Pause,

geht es gnadenlos weiter mit der Arbeit.

Derjenige, der sein Ziel
nicht aus den Augen
verliert, geht noch
immer schneller,
als jener, der ohne Ziel umherirrt.

Pause, alle anderen kommen auch mal

ohne Dich zurecht.

GLAUBE ES MIR!

Der Weg zum Erfolg ist mit vielen Rückschlägen und Problemen gepflastert. Geschenkt gibt es nichts im Leben. Das vergessen viele und geben zu schnell auf. Rückschläge sind der beste Beweis dafür, dass Du etwas gewagt hast und Dich vom Status quo fortbewegt hast.

Du kannst sogar stolz sein, wenn Du auf dem Weg zum Erfolg ins Stolpern geraten bist.

Wer hingegen nie etwas wagt, hat vielleicht auch kaum Probleme. Nur bezahlt er diese vermeintliche Sicherheit mit Stagnation. Und dieser Preis ist hoch, denn er ist die beste Voraussetzung für Unzufriedenheit. Wie das Wort Niederlage schon ausdrückt, ist der Betreffende gefallen und liegt nun zunächst am Boden. Ob das positiv oder negativ zu bewerten ist, entscheidet nur die Person.

Bewertet diese Person den Fall als etwas Schlechtes, dann wird sie kraftlos und resigniert liegen bleiben. Wenn diese Person aber etwas Positives darin sieht, mobilisiert es Kräfte, es beim nächsten Mal besser zu machen.

Wer an sich selbst glaubt, der kann auch viel erreichen.

Wer seine Ziele erreichen will, der muss sich zu aller erst selbst etwas zutrauen.

Aus dem Selbstvertrauen entsteht Selbstbewusstsein, das wiederum in Selbstsicherheit gipfelt.

Die Grundlage für Motivation ist: Ziele zu haben! Denn der Grundstein jeglicher Art von Motivation besteht darin zu wissen, warum und für was ich motiviert bin.

Mal so eine kurze Information:

Nur rund 1 % aller Menschen

haben überhaupt konkrete Ziele.

Doch egal, welche Ziele Du Dir im Leben gesetzt hast: Zur Erreichung Deiner Ziele benötigst Du immer die Hilfe anderer Menschen! Wenn Du andere Menschen für Deine Ziele begeistern willst, dann finde die Motive anderer heraus.

Wie Du die Motive des anderen mit Deinen eigenen Zielen in Einklang bringen kannst? Menschen möchten etwas mit ihrer Tätigkeit bewirken! Wir alle möchten, dass alles Sinn hat und Sinn ergibt!

Unser Beruf auch unsere Berufung ist!

Wir uns selbst verwirklichen können.

Anerkennung und das Lob bekommen, das jeder Mensch so dringend braucht.

Deshalb beginnt

Motivation schon damit,

die anderen nicht

zu demotivieren!

Die Leidenschaft

Ob wir ein bestimmtes Ziel in unserem Leben erreichen, hängt stark davon ab, ob wir leidenschaft-
lich leben.

Es ist dabei völlig egal,

was wir tun.

Wichtig ist nur, das wir es mit ganzem Herzen tun.
Ein Leben, dass dem Herzen folgt anstatt, eines
Lehr- oder Karriereplans. Ein Leben mit eigenen
Zielen, anstatt eines Klassenziels.

Ein Leben im Hier und Jetzt,

anstatt auf seine Rente zu warten.

Die Perspektive

Wir nehmen die Welt nicht so wahr, wie sie tatsächlich ist, sondern wie wir sie interpretieren. Die eigene Wahrnehmung, die eigene Interpretation einer Situation, bestimmt über unseren Gemütszustand.

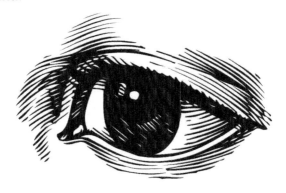

Nicht die äußeren Umstände, ein Sturm, ein verspäteter Zug oder der Chef beeinflussen uns und unseren aktuellen Zustand, sondern nur die Art und Weise, wie wir auf diesen reagieren.

Und wir können auf diesen Zustand reagieren, indem wir uns andere, bessere Fragen stellen und dadurch unseren Blickwinkel verändern.

Die Fokussierung

Worauf wir uns konzentrieren, wächst. Und alles, was wir vernachlässigen, verkümmert. Das ist bei den Muskeln so und genauso bei beruflichen Zielen.

Deshalb: Nur eine Sache zur gleichen Zeit. Maximaler Fokus.

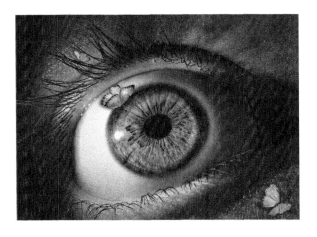

Wo wir unseren Fokus haben, dort ist auch unsere Energie.

Erfolgsfaktor Durchhaltevermögen

Um in einem Lebensbereich erfolgreich sein zu können, benötigen wir Zeit und Ausdauer.

Zuerst muss immer die Anstrengung erfolgen und erst danach, mit Verzögerung, erhalten wir die Belohnung.

Und über diese Verzögerung müssen wir uns schon von Beginn an im Klaren sein. Fehlendes Durchhaltevermögen und mangelnde Beharrlichkeit sind einer der Hauptgründe, warum viele Menschen scheitern. Sie geben einfach zu früh auf. Es gibt dazu ein sehr passendes Zitat von Wilhelm Busch: Ausdauer wird früher oder später belohnt. Meist später.

Die Langsamkeit

Nicht die hochgesteckten Ziele sind häufig das Problem, sondern wie wir auf diese zusteuern.

Mit Vollgas, 100-Prozent-Einsatz und 16-Stunden-Tagen, Burnout inklusive.

Plane Dein Jahr nicht nur mit Höhepunkten,

sondern auch mit Pausen und Erholungsphasen.

Lerne zu entspannen.

Der Entspannung und der Regeneration bekommt gerade in der heutigen Zeit, in der westlichen Welt, einen immer höheren Stellenwert zu.

Im Extremsport wie im Berufsleben.

Wenn Du es schaffst:

Dich selber zu motivieren

und den

Automatikmodus so zu steuern,

dass er im Einklang mit Dir,

durch Dein Leben geht.

Dann hast Du DEIN

menschliches Raubtier im Griff,

was die Motivation betrifft.

Leider bin ich nicht dabei,

wenn Du das hier gerade liest.

Wie gerne würde ich Dir,

die eine oder andere Frage stellen.

Als ich so mit meinen Gedanken, Ideen an diesem Lebensbuch gesessen habe.

Da hatte ich immer diese Gedanken:

Überfordere ich andere nicht?

Was passiert da in den Köpfen;

beim Lesen,

beim Nachdenken,

beim Kopfschütteln.......?

Also ich habe hier mal eine Pause eingelegt.

Was sind die Besten Momente am Tag?

Wahrscheinlich die Pausen.

Der Weg zum Erfolg ist mit vielen Rückschlägen und Problemen gepflastert. Geschenkt gibt es nichts im Leben.

Das vergessen viele und geben zu schnell auf.

Rückschläge sind der beste Beweis dafür, dass Du etwas gewagt hast und Du Dich vom Status quo fortbewegt hast.

Glaube an Dich.

Wer an sich selbst glaubt, der kann auch viel erreichen.

Wer seine Ziele erreichen will, der muss sich zu aller erst selbst etwas zutrauen.

Motivation aber ist ohne Motivator nicht möglich.

Wir sollten uns daher in Zukunft viel mehr mit
den „Möglichkeiten der Motivation" beschäftigen,
zum Beispiel uns fragen:

Was macht den Motivator aus?

Welche Charaktereigenschaften befä-
higen ihn, so wirksam zu sein?

Wichtiger als die Fremd-Motivation ist das Vermeiden von Demotivation.

Motivation braucht Information, Anerkennung, Kompetenz und Vertrauen.

Das Aufzeigen der Bedeutung des Menschen und seiner Leistung wirkt motivierend.

Leistungsziele motivieren, wenn sie herausfordernd und realistisch sind (faszinierende Ziele).

Zielvorstellung und Zielvereinbarung, nicht Zielanweisung macht den Menschen zum Aufgabenlöser.

Motivieren durch Führungs-, nicht durch Fachkompetenz!

Der beste Motivator ist der Erfolg.

Gehe auf die Wünsche des anderen ein!

Überlege immer: Was ist das Motiv des anderen?

Schenke Lob und Anerkennung! Lob und Anerkennung wecken enorme Kräfte!

Kritisiere den anderen möglichst wenig!

Denn Kritik ist einer der schlimmsten Demotivati-
ons-Faktoren überhaupt!

Höre genau zu!

Wer anderen zuhört, wer ihre Ideen ernst nimmt,
der wird feststellen, dass die Motivation automatisch steigt!

**Behandele andere Menschen so, wie Du selber
gern behandelt werden möchtest. Anerkennung
stärkt, Ablehnung schwächt. Wenn man andere
begeistern will, muss man selbst „brennen".**

**Hier einige Tipps, wie Du die Motivation ande-
rer menschlicher Raubtiere stärken kannst:**

- Gehe auf Deine Mit-
  menschen ein

- Interessiere Dich für Deine
  Umgebung

- Höre zu, wenn Menschen
  etwas sagen

- Unterbrechen Sie nicht

- **Schenke viel Lob und Anerkennung**

- **Gebe sachliche Kritik**

- **Mache Dich über andere nie lustig.**

Aber denke daran, wenn Du andere menschliche Raubtiere motivierst, dann gehörst Du nicht mehr zu Mehrheit.

Die Minderheit, die es tut, setzt die neuen Maßstäbe, zeigt neue Horizonte und beweist, dass es möglich ist, Grenzen zu überschreiten.

Menschen zu ermutigen, herauszufordern und Sie dabei zu unterstützen, neue Wege zu gehen, scheint mir eine der vornehmsten Aufgaben zu sein.

Auch eine sehr

wichtige

Aufgabe.

ab und zu mal Pause machen.

Es   ist   lustig

sich vorzustellen,

wie dein Gehirn   *kleine Pausen*
macht,   *beim*   *lesen.*

Erfolgreiche Menschen haben im Wesentlichen eines gemeinsam:

Sie lösen Probleme
oder erfüllen Sehnsüchte.

Den größten Erfolg hast Du wahrscheinlich, wenn Du ein Problem löst.

Motivation ist kein Heilmittel. Nur ein Werkzeug für ein erfolgreiches Leben. Wir entscheiden zu mindestens 90 Prozent unbewusst. Denn wir empfangen Signale und setzen sie in Handlungen um, ohne dass unser Bewusstsein daran beteiligt ist.

Für das Gehirn haben daher nur emotionale Botschaften Bedeutung.

Deine Aufgabe ist es also,

gleichzeitig die emotionale

und die rationale Ebene

im Hirn Deiner

Mitmenschen

anzusprechen.

Motivieren kann nur derjenige der sich bewusst ist, dass jeder Mensch mit einer Aufgabe konkrete Vorstellung verbindet - die auch erfüllt werden muss.

Und wer sich in die Lage eines Menschen versetzt, weiß, dass die Motivation weit vor der eigentlichen Aufgabe beginnt.

Du möchtest

motivieren?

Gehe einfach mal den

DIREKTEN WEG!

FRAGE:

WARUM HAST DU KEINE LUST?

FRAGE:

NACH DEM PROBLEM!

Auf jeden Fall bekommst Du viele Anregungen,
wie Deine Mitmenschen Motivation definieren.

In diesem Sinne wünsche ich Dir fruchtbare Antworten und viel Erfolg beim Motivieren von anderen menschlichen Raubtieren und natürlich auch
Deinem eigenem menschlichem Raubtier!

Ach nöh!

Nicht schon, wieder musst Du nicht – kannst Du aber.

Eine Pause zur richtigen Zeit,

eine kleine Auszeit für Körper und Geist.

Menschliches Raubtier – ja ja.....

Fragen?

Fragen zu stellen ist der einfachste und beste Weg, um andere Menschen kennenzulernen. Aber wie stelle ich die richtigen Fragen? Nun folgen ein paar praktische Tipps für erfolgreiches Fragen:

Negatives vor Positivem

Potenzielle Gefahren signalisieren dringenden Handlungsbedarf. Deshalb richten wir unseren Fokus zunächst auf das Negative. Menschen sehen ein wütendes Gesicht in einer fröhlichen Menge viel schneller als ein fröhliches Gesicht in einer wütenden Menge.

Negatives bleibt uns auch länger im Gedächtnis als Positives. Und über Negatives reden wir mehr. „Es braucht fünf positive Erlebnisse, um ein negatives auszugleichen", sagt treffend der Volksmund.

Sorge also für eine Fülle von positiven Momenten, die etwaige Negative überlagern helfen.

Unser Hirn liebt das Happy End.

Unangenehmes sofort

Spreche etwaiges Unerfreuliches in jedem Fall an und platziere es so früh wie möglich im Kommunikationsprozess, damit es nicht das ganze Gespräch überschattet. Dabei sollte der andere durch Fragen in die Gestaltung der Lösung miteinbezogen werden, um die Sache für ihn so erträglich wie möglich zu machen. So fühlen wir uns den Dingen nicht hilflos ausgeliefert und behalten die Kontrolle.

Unangenehmes wollen wir so schnell wie möglich hinter uns bringen, um uns anschließend auf Besseres freuen zu können.

Angenehmes in kleinen Dosen?

Erfreuliche Erfahrungen verteilt man am besten über den gesamten Prozess, während Unerfreuliches in einem Aufwasch präsentiert werden sollte.

Im Verkauf heißt diese Technik „bittere Pille".

Das Heikle wird mit Zuckerguss umhüllt.

Positives hingegen sollte immer wieder eingestreut und in kleinen Häppchen auf überraschende Weise präsentiert werden. Jeder Moment des Glücks macht Lust auf mehr.

Und Vorfreude ist bekanntlich

die schönste Freude.

So einfach wie möglich

Unser Hirn mag es einfach. Wer einem Menschen eine Fülle von möglichen Alternativen zeigt, stellt ihn vor die Qual der Wahl.

Dies führt dann dazu, dass man es sich noch einmal überlegt.

Das Ziel ist hiernach meistens verloren.

Oder es bleibt das ungute Gefühl, sich womöglich falsch entschieden zu haben. Präsentiere also maximal drei Alternativen, die aus der Sicht des anderen voraussichtlich attraktivste Variante kommt dabei zum Schluss.

Der letzte Eindruck prägt

Setze etwas Angenehmes an den Anfang und insbesondere an den Schluss des Gespräches.

Der letzte Eindruck löst im Gehirn so etwas wie einen Echo-Effekt aus und bleibt daher besonders lange haften.

Begründungen geben

Begründe, weshalb eine Sache besonders gut oder schlecht läuft. Unser Gehirn will verstehen, wie etwas funktioniert. Erhält es keine Erklärungen, füllt es solche Leerräume mit Annahmen und reimt sich die Dinge zu Recht. So entstehen Mutmaßungen und Gerüchte – nur leider meist nicht gerade die, die Dir nützlich sind.

Mit Begründungen kann man gegensteuern. Denke immer an das menschliche Raubtier, es liebt den Automatikmodus.

Denn eine Motivation ist erst zu Ende, wenn der Mensch mitmacht oder definitiv abgelehnt hat.

Wer diesen Prozess vor der endgültigen Entscheidung ab- bzw. unterbricht, schadet sich in mehrfacher Hinsicht selbst.

Unterbrechen?   *Ich bin mal kurz wech.......*

Alles ist...............????

Diese Sekunde,

wo Du einfach mal

Pause machen möchtest.

Meiner Meinung nach gibt es zwei Hauptfaktoren die entscheiden, ob ein Mensch als ein „Motiviertes Lebewesen" oder als „Schlaftablette" am Leben teilnimmt.

Das ist der persönliche Nutzen

und die eigene Überzeugung.

Oft wird bei der Motivation vergessen hervorzuheben, welchen Nutzen der andere hat. Der persönliche Nutzen ist vielleicht der entscheidendste Auslöser für eine erfolgreiche Motivation. Wer die wahren Bedürfnisse von Menschen ergründen will, muss sich individuell auf sie einlassen.

Den einen erreichst

Du mit rationalen

Argumenten,

den anderen eher

mit emotionalen!

Tipps für menschliche Raubtiere.

Wer in der heutigen Zeit

Erfolg haben will,

muss gut mit Menschen

umgehen können.

Hier einige grundlegende Verhaltensregeln und Umgangsformen die helfen, das Zusammenleben mit anderen Menschen möglichst reibungslos und angenehm zu machen:

- **Mache ein freundliches Gesicht und lächle**

- **Interessiere Dich für andere Menschen**

- **Höre dem anderen zu**

- Gebe zu wenn Du im Unrecht bist

- Sei freundlich

- Gebe dem anderen die Möglichkeit Ja oder Nein zu sagen

Pause......

Atempause, Inaktivität,

Nichtstun, Tatenlosigkeit,

Siesta, Beschaulichkeit,

Nickerchen, Besinnlichkeit

und so viel mehr...................

Um etwas zu Können muss man es vorher erlernen. Dieses Erlernen kann dabei sowohl absicht-
lich, geplant, gezielt als auch beiläufig, unbewusst
oder spielerisch erfolgen.

Für ein erfolgreiches Lernen sind innere Voraussetzungen wie Aktivität, Motivation und Wille er-
forderlich.

Im Rahmen dieses mitunter mühsamen Prozesses
aus Lernen und Üben entstehen Fertigkeiten und
somit Können, welches die erlangten Kenntnisse,
Erfahrungen, Reife und Kompetenzen widerspie-
geln.

Das Beherrschen von Fertigkeiten und Fähigkeiten hilft, einen Platz in der Gesellschaft zu finden und auszubauen.

Das Können ist in der heutigen Welt eines der entscheidenden Kriterien bei Rollenzuweisungen, beim Status und beim gesellschaftlichen Prestige eines Menschen.

Umgekehrt kann fehlendes Können oftmals zu Schwierigkeiten im Alltag und zu gesellschaftlicher Ausgrenzung führen.

So gibt es Grundfertigkeiten, welche innerhalb einer Kultur von allen erwartet werden, wie: Sprechen und Verstehen der Muttersprache, gängige Verhaltensnormen und Benimmregeln, Lesen, Schreiben, Rechnen und anderes.

Das heutige Leben

ist zunehmend ein

Streben nach Können.

Bildung und Ausbildung spielen im weiteren Verlauf eine zentrale Rolle beim Erwerb von Fertigkeiten und dem Können eines Einzelnen.

Eigene Ziele und Werte entscheiden. Jeder Einzelne muss für sich und sein Leben konkrete Antworten auf diese Fragen finden.

Bei der Beantwortung muss man in sich hineinhören, sich selbst reflektieren und formulieren, was man wirklich will.

Hierbei ist besonders darauf zu achten,

nicht allzu sehr von außen bestimmt zu werden.

Nur so lassen sich Ziele und Werte, die der eigenen Persönlichkeit und dem eigenen Charakter entsprechen, finden und formulieren.

Ohne Ziele und Wertvorstellungen ist man orientierungslos, kann nicht zwischen Wichtigem und Unwichtigen unterscheiden und kann keine sinnvollen Prioritäten setzen.

Die Unterscheidung zwischen wichtig und unwichtig.

Eine Kernaufgabe beim Priorisieren von Aufgaben ist die Unterscheidung zwischen wichtig und unwichtig.

Das Wichtige vom Unwichtigen zu trennen, ist die eigentliche Herausforderung, die über Erfolg oder Misserfolg entscheidet.

Im beruflichen Arbeitsalltag und auch im privaten Bereich wird man nur allzu oft von außen bestimmt.

Doch wenn Du langfristig erfolgreich und glücklich sein willst, musst Du selbst entscheiden, was wichtig und unwichtig ist.

FÜR DICH GANZ PERSÖNLICH !

Was ist wichtig? Mal so unter uns...............

Lust auf ein kleine Pause?

Träume sind die große Pause der Gedanken.

Zum Thema was ist wichtig.

Um zu entscheiden, ob eine Sache wichtig ist, musst Du diese Sache gewichten und bewerten.

Für diese Bewertung, welches immer ein strategisches und effizientes Denken beinhaltet, benötigt man klare Leitlinien und Orientierungen mit deren Hilfe die Bewertung erfolgt.

Formal kann dies anhand eines abstrakten Kriteri-
enkataloges geschehen.

Wenn mir etwas wichtig ist:

bringt es mich meinen Zielen näher,

macht es mich langfristig glücklicher,

verbessert es mittel- und langfristig
meine Lebensqualität,

macht es mein Leben einfacher,
schöner und lebenswerter,

kann ich mich selbst damit identifizieren.

Doch auf die eigentlichen Fragen:

Was ist wichtig im Leben?
Was ist das Wichtigste im Leben?

Darauf gibt es keine allgemeingültigen konkreten Antworten. Daraus folgt aber auch, etwas ist niemals von sich aus wichtig. Ich selbst entscheide, ob etwas wichtig oder unwichtig ist. Erst die eigenen Ziele, Werte und Wünsche verleihen einer Sache die Eigenschaft wichtig oder unwichtig.

Hallo menschliches Raubtier!

Denkst Du gerade etwa nach?

Also ich habe schon die eine oder andere Aussage

nochmal gelesen und bin immer wieder von

Neuem überrascht.....

Ziele?!

Wünsche?!

Idee?!

Werte?!

Nicht nur von mir und meinem menschlichen Raubtier,

sondern auch von den anderen menschlichen Raubtieren,

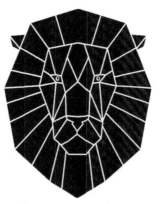

in meinem Universum.

Lerne das

NEIN

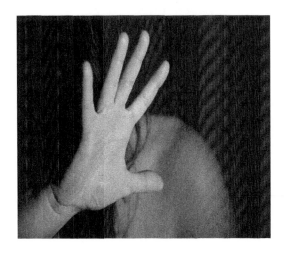

sagen.

Häufig sagen wir JA und nehmen eine Tätigkeit an, obwohl wir es gar nicht wollen.

Wir sagen JA, weil wir

- anderen helfen möchten – Helfersyndrom

- Angst haben, unbeliebt zu werden

- Furcht vor Sanktionen haben

- uns freuen, wenn wir unentbehrlich sind

- niemanden verletzen möchten

- überrumpelt wurden

doch sollten wir nie **JA** sagen, wenn wir **NEIN** meinen.

Wenn Du dir immer mehr Aufgaben auflädst, wirst Du irgendwann unter der Aufgabenlast zusammenbrechen:

Wer

nicht

NEIN

sagen

kann,

wird

krank!

Werde Dir bewusst, dass Deine eigenen Bedürfnisse wichtiger oder mindestens ebenso wichtig sind, wie die der anderen.

Du kannst nicht immer allen gerecht werden und schon gar nicht von allen anderen gemocht werden. Höre mehr auf Deine innere Stimme, diese sagt Dir meist sehr genau, was Du möchtest und was nicht.

Das Wörtchen "Nein" an der richtigen Stelle kann viel Arbeit, Stress und Zeit verhindern.

Ein Nein zeigt, dass man weiß, was man will und, dass man bewusst über seine Zeit und die eigenen Aufgaben entscheidet und sich dafür verantwortlich fühlt.

Tatsächlich zeigen Studien, dass Menschen gerade andere respektieren, die zu ihren Aussagen stehen

wenn diese fair bleiben und eine

gute Begründung für ihr Nein liefern.

Begründe darum möglichst Dein Nein und versetze Dich in die Situation des anderen.

Wenn Du dem Bittsteller verständlich erklärst, warum Du seine Bitte ablehnst, wird dies für beide einfacher.

ABER!

Begegnest Du jemandem, der sofort klar und deutlich **NEIN** sagt ohne Nachzudenken, beende das Gespräch und gehe weiter. Eine Person, die von vornherein mit NEIN antwortet, ist die größte Zeitverschwendung überhaupt!

Du solltest aber genau darum auch Respekt vor Neinsagern haben: Diese wecken keine falschen Hoffnungen und klauen Dir durch Ihre klare und ehrliche Haltung niemals Deine Zeit.

Zeit ist kostbar, Sie ist nicht unend-
lich, viel Zeit ist Freiheit!

Ein JA oder NEIN

– zur rechten Zeit -

bestimmt Deine Freiheit!

Vielen Menschen fällt es schwer, eine Bitte abzuschlagen.

Das Wort NEIN will und will einfach nicht über die Lippen kommen, obwohl es auf der Zunge liegt.

Eine Bitte abzuschlagen, könnte als unfreundlich wirken. Mit einem JA erspart man sich die Enttäuschung des Bittstellers - eine unangenehme Reaktion bleibt so aus.

Man möchte vielleicht auch nicht als Spielverderber gelten und weiterhin beliebt bleiben.

Hinter der Angst vor Ablehnung steckt oftmals ein geringes Selbstvertrauen.

Doch ist es wirklich

gut für einen, ständig

JA

zu sagen?

Habe den Mut

zum

NEIN

sagen.

Bevor man eine Entscheidung trifft, sollte man den Bittsteller um Bedenkzeit bitten.

Dieses Recht hat JEDER!

Man muss nicht auf der Stelle Ja oder Nein sagen, auch wenn der andere das noch so gerne möchte. Nein sagen ist ein erlernbares Verhalten.

Wenn wir Nein sagen, setzen wir Grenzen und erhalten dadurch mehr Raum für unsere eigenen Bedürfnisse.

Die Entscheidung, wie man seine kostbare Zeit und Energie einsetzt, muss einem persönlich sehr wichtig sein und kein Mensch hat das Recht, diese Entscheidung für uns zu treffen.

Sage allerdings nur dann Nein, wenn Du es wirklich meinst und bleibe dann konsequent dabei!!!

Wenn man in kleinen Dingen des Lebens lernt, Nein zu sagen, bekommt man gut Übung darin, bei wirklich wichtigen Dingen Nein zu sagen.

Man wird dann ein
unbeschreibliches Gefühl
der Freiheit verspüren.

Keine Angst,

die Bittsteller werden Dein
NEIN auch verkraften.

Also,

Also, schon wieder ALSO?

Egal, ich bin mal in Pause.

Ein kleine Pause,

kann Dir

viel Kraft

geben!

Grüße von dem

menschlichen

Raubtier.

Ein paar kleine Tipps:

- **Ein JA oder Nein entscheidet über Deine Zeit.**

- **Deine Entscheidungen und Deine weitere Handlungen.**

- **Aber auch über die Zeit, Entscheidungen und die weiteren Handlungen der anderen Raubtiere!**

Du bist nicht egoistisch oder herzlos, wenn Du über ein NEIN nachdenkst. Aber denke bitte vorher nach, sonst könnte es sein, dass Du als Egoist abgestempelt wirst.

- **Ich kann keine Lösung anbieten!**

- **Nein! Das kann ich nicht.**

Jedes Ja oder Nein wird zuerst von unserem menschlichen Raubtier gedacht und wir entscheiden ob wir Handeln, im Automatikmodus oder aber ob wir abwägen, nachdenken..............und Antworten mit einem:

JA oder NEIN!

Das Leben könnte so einfach sein –

IST ES ABER NICHT!

Auch wenn Beziehungen nicht nach kaufmännischen Regeln zu bewerten sind, so sollte doch das Verhältnis im Großen und Ganzen ausgeglichen sein.

Das gilt für den Job genauso wie für Freundschaften oder die Familie.

Wenn Du dauerhaft mehr gibst als bekommst, wirst Du unzufrieden. Und hier gilt es, besser für sich zu sorgen. Indem Du dir klarmachst, was es ganz konkret für Dich bedeutet, immer wieder etwas für andere zu tun, kommst Du in Kontakt mit Deinen eigenem menschlichem Raubtier.

Menschen, die sich schwer damit tun, NEIN zu sagen, stellen ihre eigenen Bedürfnisse oft hinten an.

Auf Dauer aber höhlt das aus und macht unzufrieden und glaube mir es macht

KRANK!!!!

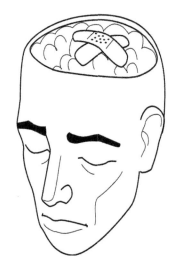

Du bist wichtig!

Deine Zeit ist genauso wichtig

wie die der anderen.

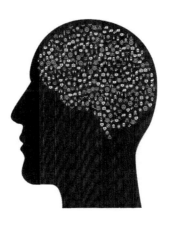

Deine Kraft ist nicht endlos.
Es steht Dir genau wie
jedem anderen zu,
gut für sich zu sorgen.

Um anderen gerecht zu sein,
muss man sich selbst
gegenüber ehrlich sein.

Verlange nicht mehr

von Dir, als Du geben kannst!

Die Intelligenz

Lange Zeit galt der Intelligenz-Quotient (IQ) als der Maßstab für Erfolg. Nach neuesten Erkenntnissen ist aber die emotionale Intelligenz – der EQ – eines Menschen viel ausschlaggebender für seinen persönlichen und beruflichen Erfolg als der IQ. Mit emotionaler Intelligenz werden eine ganze Reihe von Fähigkeiten und Kompetenzen beschrieben, wie z.B.

Mitgefühl, Kommunikationsfähigkeit, Menschlichkeit, Takt, Höflichkeit und sehr viel mehr.

Emotionale Intelligenz betrifft den Umgang mit uns selbst und mit anderen, und mit menschlichen Raubtieren.

Das Besondere an der emotionalen Intelligenz ist, dass es dabei sowohl um den Umgang mit sich selbst geht, als auch um den mit anderen Menschen.

Emotionale Intelligenz beschreibt also das Selbstmanagement und die Selbsterfahrung auf der einen Seite und Kompetenzen und Fähigkeiten im Umgang mit anderen Menschen auf der anderen.

Für die emotionale Intelligenz sind vor allem folgende Kompetenzen entscheidend:

Selbstbewusstheit

Gemeint ist die realistische Einschätzung der eigenen Persönlichkeit, also das Erkennen und Verstehen der eigenen Gefühle, Bedürfnisse, Motive und Ziele, aber auch das Bewusstsein über die persönlichen Stärken und Schwächen. Es geht darum, sich selbst gut zu kennen, um einschätzen zu können, wie man selbst in bestimmten Situationen reagiert, was man braucht und wo man noch an sich selbst arbeiten muss.

Selbststeuerung

Als Selbststeuerung wird die Fähigkeit bezeichnet, die eigenen Gefühle und Stimmungen durch einen inneren Dialog zu beeinflussen und zu steuern. Mit dieser Fähigkeit sind wir unseren Gefühlen nicht mehr nur einfach ausgeliefert, sondern können sie konstruktiv beeinflussen.

Ein Beispiel:

Wenn uns etwas wütend macht, können wir uns durch unseren inneren Dialog selbst beruhigen und können dann viel angemessener reagieren, als wenn wir nicht in Lage sind, uns selbst zu steuern.

Das ist nicht einfach.

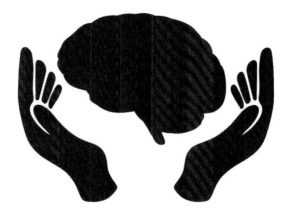

Denke bitte mal einen Augenblick darüber nach, was da steht.

Mache aber keine Pause.

Wen ich so darüber Nachdenke

So ein kleiner Kaffee?

Motivation

Sich selbst motivieren zu können heißt, immer
wieder Leistungsbereitschaft und Begeisterungsfä-
higkeit aus sich selbst heraus entwickeln zu können. Diese Fähigkeit ist besonders hilfreich in Phasen, in denen ein Projekt schwierig wird oder
wenn die Dinge anders laufen als geplant.

Wer sich selbst motivieren kann, findet immer wieder Kraft zum Weitermachen und verfügt auch
über eine höhere Frustrationstoleranz, also dem
Vermögen, Frust auszuhalten und trotzdem wei-
terzumachen.

Die Empathie

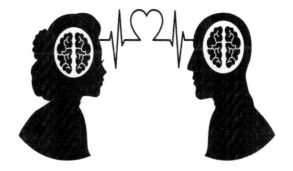

Die Bedeutung von Empathie heißt einfach Übersetzt: Einfühlungsvermögen. Gemeint ist damit das Vermögen, sich in die Gefühle und Sichtweisen anderer Menschen hineinversetzen zu können und angemessen darauf zu reagieren.

Es geht darum, Mitmenschen in ihrem Sein wahrzunehmen und dort zu akzeptieren.

Dabei heißt akzeptieren nicht automatisch gutheißen. Andere Menschen zu akzeptieren heißt, ihnen mit Respekt entgegenzutreten und Verständnis für ihr Tun und Denken zu haben.

Soziale Kompetenz

Unter sozialer Kompetenz versteht man z.B. die Fähigkeit, Kontakte und Beziehungen zu anderen Menschen zu knüpfen und solche Beziehungen auch dauerhaft aufrechterhalten zu können.

Gemeint ist also ein gutes Beziehungs- und Konfliktmanagement,

aber auch Führungsqualitäten oder das Vermögen, funktionierende Teams zu bilden und zu leiten.

Kommunikationsfähigkeit

Eine gute Kommunikationsfähigkeit ist unerläss-
lich für die emotionale Intelligenz. Gemeint sind
damit zwei Dinge:

einerseits die Fähigkeit, sich klar und verständlich
auszudrücken und somit sein Anliegen deutlich
und transparent zu übermitteln;

andererseits ist damit die Fähigkeit gemeint, anderen Menschen aktiv und auf merksam zuhören zu
können, und das, was sie sagen, zu verstehen und
einzuordnen.

Was bringt uns nun diese emotionale Intelligenz?

Eine emotionale Intelligenz im Alltag ermöglicht es Dir, gut mit Deinem Partner und Familienmitgliedern besser klarzukommen.

Konflikte konstruktiv zu meistern und mit sich selbst und anderen Menschen gut auszukommen.

Emotional intelligente Menschen können aktiv zuhören und akzeptieren ihre Mitmenschen so wie sie sind.

Damit sind sie meist sehr beliebt und pflegen tiefgehende Beziehungen und Freundschaften.

Sie sorgen aber auch gut für sich selbst und sind deshalb meist zufrieden und ausgeglichen.

Auch wenn Forscher herausgefunden haben, dass es offenbar genetische Anlagen für eine starke Ausprägung emotionaler Intelligenz gibt, lässt sich die emotionale Intelligenz dennoch erlernen und systematisch fördern.

Finde heraus, wer Du selbst bist!

Sich selbst kennenzulernen, fällt uns nicht immer leicht, da wir dazu hin und wieder auch tief in unsere Geschichte und in unser Innerstes eintauchen müssen.

Nicht zu vergessen,

das menschliche Raubtier!

Hier einmal einige Fragen, die Du in aller Ruhe und wiederholt beantworten kannst, um mehr über Dich selbst zu erfahren:

- **Wer bin ich wirklich?**

- **Was macht mich aus?**

- **Wer und was haben mich geprägt?**

- **Welche Rollen erfülle ich in meinem Leben und welche davon sind ECHT?**

- **Was brauche ich?**

- **Was sind meine Bedürfnisse?**

- **Was will ich, was erwarte ich?**

- Was sind meine Ziele?

- Was ist mir wichtig?

- Was sind meine Schwächen und Stärken?

- Was kann ich wirklich gut?

- Was macht mir Spaß?

- Woran glaube ich (z.B. in Bezug auf andere Menschen, das Leben, den Erfolg, mich selbst)?

- Was bestimmt mein Handeln, mein Denken, meine Gefühle?

Diese Fragen sind nur als erste Denkanstöße gedacht.

Es gibt sehr viele Bereiche in unserer Persönlichkeit, die wir erforschen und kennenlernen können.

Solch eine Entdeckungsreise zu sich selbst ist nicht immer leicht, aber sie ist spannend und lohnenswert.

Lerne mit Gefühlen umzugehen.

Gefühle sind etwas ganz Menschliches und Natür-
liches.

Je weniger Angst wir vor unseren Gefühlen und
den Gefühlen anderer Menschen haben und je besser wir mit diesen Gefühlen umgehen können, desto angemessener und besonnener werden wir uns
in emotionalen Situationen verhalten können.

Und genau das macht die emotionale Intelligenz aus.

Damit Du mit den Gefühlen anderer Menschen tatsächlich souverän umgehen kannst, darfst Du Dich nicht vor Deinen eigenen Gefühlen fürchten.

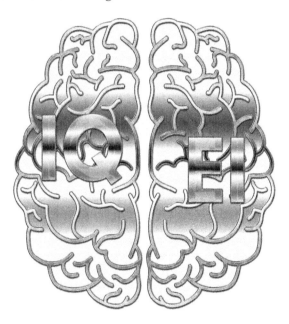

Lerne deshalb Deine eigene Gefühlswelt kennen und nehme jedes Deiner Gefühle als etwas an, das untrennbar zu Dir gehört.

Registriere, was in Dir vorgeht, ohne zu werten.

Stelle Dir dazu öfter am Tag die eine oder andere-Frage:

Wie fühle ich mich und wo genau in meinem Körper/Geist spüre ich dieses Gefühl?

Was löst das Gefühl in mir aus?

Wie gehe ich damit um?

Natürlich liegt nur an Dir, wie und wann DU, diese Fragen stellst und auch (ehrlich) beantwortest.

Ich bin mal eben wech..... eine Pause machen.

Wer ab und zu mal eine Pause macht,

hat mehr vom Leben.

Gestehe anderen Menschen ihre Persönlichkeit zu.

Wir alle sind verschieden. Anders-sein heißt aber nicht auch automatisch besser oder schlechter zu sein.

Je besser Du es schaffst, zu akzeptieren, dass andere Menschen die Welt anders sehen als Du selbst, desto leichter wird es Dir, deren Standpunkt zu erkennen.

Und damit förderst Du Ihre und auch Deine emotionale Intelligenz.

Emotional intelligente Menschen finden andere Ansichten oder Auffassungen nicht bedrohlich, sondern interessant – ja, sie sehen sie als Chance, etwas zu lernen.

Werde fit im Konfliktmanagement

Die Fähigkeit, mit Konflikten konstruktiv umzugehen und sie effektiv lösen zu können, gehört ganz
unmittelbar zur emotionalen Intelligenz.

Wer Konflikte als Chancen sieht, hat z.B. schon einen großen Vorteil, sie gut zu bewältigen.

Erweitere Deine Ausdrucksmöglichkeiten.

Manchmal fehlt es uns einfach an geeigneten Ausdrucksmöglichkeiten. Dann fehlen uns vielleicht die passenden Worte und erst, wenn die Situation vorbei ist, fällt uns ein, was wir hätten sagen oder tun können.

Eigne Dir deshalb einen möglichst großen Wortschatz an. Lerne immer wieder neue Worte dazu – vor allem Worte, bei denen es um Gefühle und um zwischenmenschliche Ereignisse geht.

Gewinne den Mut, Dich vielfältig auszudrücken – manchmal kann eine besondere Geste oder eine Handlung viel mehr sagen, als Worte.

Denke z.B. daran, wie viel Trost eine zarte Berührung schenken kann.

Werde kritikfähig

Lerne Kritik offen anzunehmen, ohne dass Du Dich selbst dabei fertigmachen oder sofort verunsichern lässt. Überprüfe, inwieweit die Kritik berechtigt ist und was Du daraus lernen und verbessern kannst.

Lerne auch selbst konstruktiv zu kritisieren, ohne andere Menschen zu entmutigen oder gar zu verletzen.

Beschäftige Dich mit Menschen

Emotionale Intelligenz ist eine Intelligenz in Bezug auf sich selbst und auf andere Menschen.

Suche andere Menschen und unternehme etwas mit ihnen. Begebe Dich an Orte, wo Du möglichst viele verschiedene Menschen treffen und kennenlernen kannst. Beobachte andere Menschen – offen und aufmerksam. Lerne andere Kulturen kennen. Lerne möglichst viel über die menschliche Psyche.

Beschäftige Dich mit den Themen, die andere Menschen bewegen. Entdecke Dich und andere.

Entwickle Empathie!

Die Zahl der Definitionen für Empathie ist so groß, dass es kaum möglich ist, alle zu beleuchten.

Dennoch ist es wichtig zu begreifen, dass jeder etwas anderes unter Empathie versteht, sodass für den einen Empathie Mitgefühl bedeutet für einen anderen hingegen, dass man gut verhandeln kann. Empathie ist die Fähigkeit, sich in andere Wesen hineinzufühlen und Mitgefühl zu empfinden.

Mal was ganz anders zum Theme Empathie.

Ich bin gerade

beim Schreiben,

zu dem

Entschluss gekommen,

eine Pause

zu machen.

Kannst Du auch machen,

musst Du aber nicht.

Das ist ein zentraler Aspekt der emotionalen Intelligenz und wichtig für das Zusammenleben.

Wer Empathiefähigkeit ist, kann das Handeln anderer besser nachvollziehen oder vorhersagen, gezieltere Hilfen leisten und angemessen mit den Gefühlen anderer umgehen. Das kann sich positiv auf die sozialen Kontakte, aber auch auf den beruflichen Erfolg auswirken.

Wie funktioniert Empathie?

Diese Frage ist essenziell, um am Ende für sich selbst das eigene Verhalten zu reflektieren und dieses von Tag zu Tag verbessern zu können.

Zu Beginn eines menschlichen Lebens ist die Fähigkeit der Empathie noch wenig ausgeprägt, weshalb Kinder auch aufgrund der sogenannten Spiegelneuronen sich an ihre Umwelt und deren Stimmung anpassen.

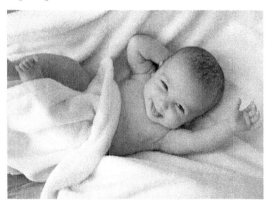

Dies spiegelt sich in einem alltäglichen Beispiel wider: In einer Station für Neugeborene beginnt erst ein Kind zu schreien und nach kurzer Zeit fangen auch alle anderen Babys damit an.

Im weiteren Verlauf des Lebens erwerben die Menschen einen unterschiedlichen Level an Empathie, was sich vermehrt in unseren Charaktereinschätzungen anderer Menschen niederschlägt, indem wir jemanden als kaltherzig/warmherzig oder weltoffen/engstirnig bezeichnen.

Mit fortschreitendem Alter wächst „normalerweise" die Fähigkeit zur Empathie, denn durch die gesammelte Lebenserfahrung können sich Menschen immer besser in andere hineinversetzen.

Das Hineinversetzen ist die Fähigkeit

eines Menschen, sich in die Situation anderer

Menschen zu denken und dabei sich imaginär

die Gefühle der anderen Person

„erdenken" zu können.

Je öfter man sich die Emotionen anderer Menschen versucht vorzustellen, desto eher wird es möglich, auch die Reaktionen anderer Personen vorherzusehen.

Wie Du erkennst, kann dieser Prozess immer wiederholt werden und dadurch kann Empathie auch
erlernt bzw. verbessert werden.

Bevor Du jetzt weiter machst.................

Pausen bringen Ruhe,

sie müssen jedoch nicht

unendlich sein .

Können aber auch schön sein.

Gerade wegen der vielen Definitionen sollten aber zwei grundlegende Arten von Empathie unterschieden werden:

Kognitive Empathie und emotionale Empathie.

Kognitive Empathie liegt immer dann vor, wenn wahrgenommen wird, was in einem anderen vorgeht, jedoch ohne dabei die emotionale Reaktion seines Gegenübers zu zeigen. Ebenfalls gehören zu kognitiver Empathie unbewusste, intuitive Bestandteile, solange sie auf rationalen Abläufen im Gehirn basieren.

Kognitive Empathie bedeutet, dass man versteht, was in einem anderen vorgeht.

Von emotionaler Empathie wird gesprochen, wenn die Gefühle eines anderen angenommen werden.

Man fühlt das, was der andere fühlt. Emotionale Empathie ist also dasselbe wie Mitgefühl, Mitleid oder die Teilhabe an der Freude anderer.

Oft beeinflussen sich emotionale und kognitive Empathie gegenseitig. Ein gutes Beispiel hierfür ist der Autismus. Autisten haben nur eine sehr geringe kognitive Empathie, sind aber in der Lage, emotionale Empathie zu empfinden.

Ihre großen Defizite zu verstehen, was in anderen vorgeht (kognitive Empathie), machen es aber oft sehr schwierig, emotionale Empathie zu entwickeln.

Mit anderen Worten:

Da sie nicht wissen, wie sich der andere gerade fühlt, können sie in der Regel oft erst mitfühlen, wenn ihnen explizit erklärt wird, was in der anderen Person gerade vorgeht.

Ein weiteres Beispiel für kognitive Empathie im Zusammenspiel mit emotionaler Empathie ist eine Mutter-Kind-Beziehung.

Dabei ist es sehr interessant, die Gedanken oder sogar die Charaktereigenschaften der Mutter, die sich in ihrem Kind wieder spiegeln, zu erkennen.

Genau an diesem Punkt nämlich vermengen Kinder die beiden Arten der Empathie.

Indem sie immer wieder die Gefühle ihrer Mutter übernehmen, fangen sie auch an zu verstehen, was in ihrer Mutter vorgeht.

Kinder lernen also über emotionale Empathie die Bedeutung kognitiver Empathie.

Wie kannst Du
Empathie lernen?
Leider habe ich darauf

nicht die ultimative

ANTWORT!

Aber:

Wenn du einem Menschen mit Vorurteilen begegnest, ist die Gefahr groß, dass du vieles übersiehst
und dich mehr von deinem menschlichen Raubtier
leiten lässt als von dem, was du wirklich wahr-
nimmst. Versuche deshalb, möglichst offen und
vorurteilsfrei auf andere Menschen zuzugehen.

Frage deshalb häufiger nach:

Warum machst du das so?

Warum ist dir das wichtig?

Wie triffst du deine Entscheidungen?

Achte darauf, dass deine Fragen nicht über griffig oder vorwurfsvoll klingen, sondern neugierig.

Wenn du deine eigenen Gefühle nicht wahrnehmen und einordnen kannst, ist es fast unmöglich, die Gefühle anderer zu erkennen.

Beginne deshalb

bei dir selbst!

Beobachte deine Gefühlsregungen und versuche, die Auslöser zu erkennen.

Wie zeigen sich deine Gefühle nach außen?

Die Chance ist hoch, dass sich die Emotionen bei anderen Menschen ähnlich äußern.

Sich für andere zu interessieren, ist ganz eng mit Empathie verbunden.

Erkundige dich deshalb mit echtem Interesse, wie es anderen geht, was sie gerade bewegt, was sie gerne mögen und was sie ablehnen.

Lerne deine Mitmenschen ein Stück weit näher kennen, dann fällt es dir auch viel leichter, dich in sie hineinzuversetzen.

Wichtig!

Du solltest nie Interesse heucheln.

Frage nach, wenn dich etwas tatsächlich interessiert. Empathie ist eine wichtige Fähigkeit, die aber auch Gefahren birgt:

Achte darauf,

dich selbst nicht zu überfordern.

Wenn du dich zu sehr anderen zuwendest, kann es passieren, dass du dich selbst aus den Augen verlierst.

Seit deshalb aufmerksam mit dir selbst und ziehe dich ein Stück zurück, wenn dir die emotionale Nähe zu anderen zu viel wird.

Empathiefähigkeit hat auch ihre Grenzen. Achte darauf, den anderen Menschen ihren persönlichen Freiraum zu lassen.

Niemand möchte von einem flüchtigen Bekannten mit Mitgefühl, Lösungsvorschlägen und Ratschlägen überschüttet werden.

Und nicht jeder möchte über die eigenen Gefühle sprechen. Sei sensibel dafür, was dein Gegenüber braucht und ziehe dich rechtzeitig zurück.

Empathie ist eine komplexe Fähigkeit, die man zwar lernen kann, die aber einiges an Training braucht. Sei deshalb geduldig mit dir.

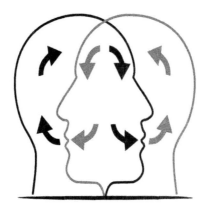

Wer behauptet, dich in wenigen Tagen oder Wochen zu einem hochempathischen Menschen zu machen, der lügt dich an. Ein solcher Prozess ist nur Schritt für Schritt zu bewältigen.

Lass dir Zeit und genieße diese

einzelnen Schritte

auf dem Weg zu mehr Empathie.

Lust auf kleine Pause!

Pausen können so schön sein.

Außerdem gibt es noch den Begriff Sympathie, unter dem man die scheinbar grundlose emotionale Zuneigung zweier Personen zueinander versteht.

Sympathie entsteht meist unbewusst und äußert sich durch ein unbestimmtes Gefühl von innerer Verwandtschaft, das oft sowohl durch tatsächliche als auch durch nur vermutete Ähnlichkeiten hervorgerufen wird.

Im Grunde eine spontane Zuneigung gegenüber einem anderen Wesen/Menschen oder menschlichem Raubtier auf der Gefühlsebene.

Sympathie begünstigt das Auftreten von Empathie, da man mit Menschen mitfühlt, die einem sympathisch sind und auch Empathie kann Sympathie beeinflussen, da man eine positive Grundeinstellung zu einem anderen aufbaut, wenn man sein Handeln nachvollziehen kann.

Somit findet Sympathie auf einer ähnlichen

Ebene wie emotionale Empathie statt.

In der Regel sprechen wir sehr schnell von Sympathie oder Antipathie. Entweder wir möchten einen Menschen näher kennenlernen oder eben nicht.

Bei diesem ersten Eindruck handelt es sich aber eigentlich um kein realistisches, sondern verzerrtes Bild der jeweiligen Person. Wir finden die neue Arbeitskollegin vielleicht sympathisch, weil sie uns an unsere Schwester erinnert, oder den frisch gebackenen Chef unsympathisch, da er einem Schreckenslehrer aus Schulzeiten gleicht.

Es ist deshalb gut und wichtig, dass Du Deinem Gefühl der Sympathie oder Antipathie bewusst wahrzunehmen lernst – diesen aber erst einmal misstraust. Die Gemeinsamkeit zwischen Empathie und Sympathie liegt in der „gemeinsamen Wellenlänge", der gemeinsamen emotionalen Verbindung zweier Menschen.

Empathie und Sympathie haben ganz unter-
schiedliche Bedeutung:

Empathie bedeutet Verständnis,

Sympathie Zuneigung.

Neben Empathie und Sympathie bezieht sich emotionale Intelligenz zusätzlich noch auf den gekonnten Umgang mit diesen Gefühlen, Einstellungen und Charaktereigenschaften.

Es ist also entscheidend, dass Du neben dem Hineinversetzen in die andere Person auch versuchst, die richtigen Schlussfolgerungen aus den Äußerungen des anderen zu ziehen.

Achte selbst darauf, in welcher Situation sich andere befinden und wie Du mit Ihrem eigenen Auftreten, verbal und nonverbal, die Gedanken anderer beeinflussen kannst. Dabei helfen Dir sowohl Empathie als auch Menschenkenntnis.

Menschenkenntnis ein Synonym für Empathie.

Ein wichtiger Unterschied ist, dass Menschenkenntnis aber nur eine Fähigkeit bezeichnet, Empathie hingegen auch einen emotionalen Zustand.

Zudem beziehen sich Menschenkenntnisse tenden-
ziell auch eher auf langfristig stabile Eigenschaften
wie Temperamente oder den Charakter.

Empathie bezieht sich vorwiegend auf kurzfristige
Gefühle und Emotionen.

Wie kann ich Empathie sinnvoll einsetzen und was nutzt es mir?

Zu wissen, was in Deinen Mitmenschen vorgeht, ist nie schlecht, denn so kannst Du vermeiden, durch ungünstig formulierte Kommentare in Fettnäpfchen zu treten oder sogar Deine Mitmenschen zu verärgern.

Ein weiterer Vorteil von Empathiefähigkeit ist, dass Du mit der Zeit ein persönlicheres Verhältnis zu Deinen Mitmenschen aufbauen kannst.

Dieser Umstand spielt immer mehr eine wichtige Rolle in einer Zeit, in der die Loyalität zu sinken scheint.

Gerade deshalb ist es wichtig, Deinen Mitmenschen (und menschlichen Raubtieren) zu zeigen, dass Du anders als andere bist.

Diese kleinen Dinge werden bei Deinen Mitmenschen mehr ins Gewicht fallen, als Du glaubst, denn immer mehr Menschen haben sicherlich das Gefühl, dass durch die immer schneller werdende Welt die zwischenmenschlichen Beziehungen gar nicht nachhaltig aufgebaut werden.

Dieses Phänomen tritt nicht nur im Alltag immer häufiger auf, sondern auch in der Arbeitswelt, weshalb schnell der Eindruck entsteht, dass jeder nur noch für sich kämpft und nicht mehr nach links oder rechts schaut.

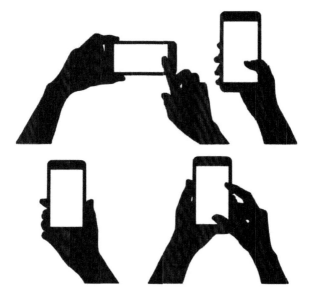

Außerdem gibt es einige weitere Vorteile, welche Du aus empathischem Verhalten ziehen kannst:

Du erfährst mehr über Deine Mitmenschen.

Du erhältst neue Impulse und Ideen.

Wenn mich gerade einer sucht..........

Für ein gutes Gespräch sind Inhalte,

genauso wichtig wie eine Pause.

Alles verstehe ich aber immer noch nicht!

Diese Pausen?

Warum soll ich eine Pause machen?

Ich mache jetzt erstmal eine Pause, um darüber
nachzudenken!

So, jetzt sind wir mal Achtsam!!

Die Fähigkeit, das große Ganze um

sich herum wahrzunehmen,

lässt sich auch unter dem

Begriff der Achtsamkeit

zusammenfassen.

Die Rücksicht auf das Recht des
anderen, das ist Achtsamkeit.

Das kann jeder
erlernen und trainieren.

Ursprünglich kommt die Achtsamkeit aus dem Buddhismus. In den verschiedenen buddhistischen Traditionen hat sie weitere Bedeutungen, die über das bloße Beobachten und nicht-bewertende hinausgehen.

Wer achtsam lebt, stellt fest, dass sein Empfinden von Glück und Lebensfreude nicht von äußeren Bedingungen abhängig ist.

Er entwickelt einen klaren, stabilen Geist, der es ihm erlaubt, auch in schwierigen Lebenszeiten und Situationen mit der Kraft seiner inneren Ressourcen verbunden zu sein.

Viele hängen mit ihren Gedanken entweder in der Vergangenheit fest, beschäftigen sich mit Sorgen oder denken über die Zukunft nach. Ein achtsamer Mensch hingegen achtet auf den Moment, ohne ihn jedoch zu bewerten. Wir neigen dazu, alles und jeden permanent zu bewerten. Achtsamkeit kann auch bedeuten, alltägliches aus einer anderen Perspektive zu betrachten und Routinen zu durchbrechen. Lange Zeit wurden Übungen hinsichtlich der Achtsamkeit, nicht ernst genommen. Ihre positive Auswirkung auf Gesundheit und Wohlempfinden haben zahlreiche wissenschaftliche Untersuchungen und Studien aber mittlerweile bestätigt.

Im Einzelnen hat das verschiedene Auswirkungen:

- Ein klareres Verständnis bezüglich seiner selbst und hinsichtlich des eigenen Lebens.

- Zugang zu den eigenen inneren Ressourcen finden und selbstgesteckte Grenzen erweitern.

- Mit sich selbst geduldiger sein und sich besser akzeptieren.

- Selbstbestimmter und selbstbewusster handeln.

- Freundlich aber bestimmt Grenzen setzen.

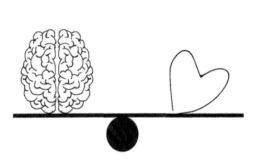

- Mehr Gleichgewicht, Stabilität, Souveränität und Lebensfreude entwickeln und diese auch angesichts schwieriger Situationen oder Lebensumstände behalten.

Eine achtsame Pause!

Ruhepause:

Zeit, in der etwas ruht, nicht stattfindet oder

nicht getan wird bzw. Unterbrechungen,

die eine Person zwecks kurzer Erholung

bei körperlich oder geistiger anstrengender

Tätigkeit einlegt.

Die Grundidee bei der Achtsamkeit:
Entspannung fängt im Kopf an.

Einfache Übungen sollen dabei helfen,
den Alltagsstress zu senken - und die
Welt bewusster wahrzunehmen.

Kleiner Test:

Weist Du noch, wie der Kaffee heute Morgen geschmeckt hat?

Bei vielen Menschen geht morgens schon der Automatikmodus los, dadurch sind sie oft nicht bei dem, was gerade passiert (hallo menschliches Raubtier?) und was sie gerade machen. Als kleines Beispiel: Wenn Du unter der Dusche stehst, kochst Du in Gedanken Kaffee, wenn Du den Kaffee trinkst, denkst Du, Ich muss los, und so weiter.

NAH ?

Habe ich das menschliche Raubtier

erwischt??

Hinzu komme das ständige Vergleichen mit anderen: Der Kollege hat schon wieder ein neues Auto - wie kann der sich das bloß leisten?"

Solche Vergleiche führen sehr oft dazu, dass sich Menschen schlecht fühlen. Die Achtsamkeit zielt darauf ab, mehr im Jetzt und Hier zu leben. Es geht darum, dem Moment mehr Aufmerksamkeit zu schenken. Dazu ist es wichtig, das menschliche Raubtier abzuschalten und das Gedankenkarussell zu stoppen.

Ziel ist es, mehr Gelassenheit zu entwickeln.

Das kann im Alltag in vielen Situationen helfen - an der Supermarktkasse, im Stau oder an stressigen Tagen im Job.

Ein typischer Fehler im Beruf: das Multitasking.

Viele gehen im Büro ständig mehrere Dinge gleichzeitig an. Neben der Arbeit checken sie E-Mails, telefonieren, surfen, besprechen Dinge mit Kollegen.

Niemand kann Multitasking!

Experten wissen: Weder Frauen noch Männer beherrschen das.

Unser Gehirn kann das nicht!

Tatsächlich strengt uns dieses Hin- und Herschalten enorm an - wir vergeuden Energie.

Die Folgen: Fehler und Stress!

Zum einen, weil man überfordert ist. Und auch deshalb, weil man immer wieder Fehler korrigieren muss – das koste letztlich mehr Zeit, als die Aufgaben nacheinander zu erledigen. Achtsamkeitsübungen können dazu beitragen, sich solcher Dinge bewusst zu werden. Dazu ist es wichtig, einmal in sich hineinzuhorchen und hineinzuspüren. Das beginnt mit ganz einfachen Fragen:

Was mache ich gerade?

Wie mache ich es?

Und wie fühle ich mich dabei?

Dieses Bewusstsein kann helfen, in stressigen Situationen souveräner zu reagieren. Wer dann innerlich einen Schritt zurücktritt, sieht womöglich, dass es noch andere Wege gibt, mit der Situation umzugehen.

Es hilft, erst einmal genau zu beobachten, was in solchen Situationen passiert, um sie besser zu verstehen.

Wichtig dabei ist es, die Situation nicht zu bewerten. Damit ist keine Alles-egal-Haltung gemeint, es geht vielmehr darum, zum Beispiel einen Schweißausbruch abzutun, weil man sich dafür schämt.

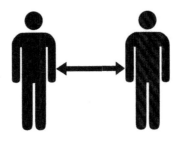

Das hilft, ein wenig Abstand zu bekommen. Und beim nächsten Mal womöglich weniger verkrampft zu reagieren.

Was Achtsamkeit ist?

Darauf zu achten

mal ab und zu

eine Pause zu machen!

Was ist jetzt mit Pause und Achtsamkeit?

Okay, das habe ich verstanden.

Nun, Achtsamkeit heißt:

- sich dessen bewusst zu sein, was gerade jetzt innen und außen passiert

- und das darüber hinaus gelassen und ohne emotional in Aufruhr zu geraten, zu betrachten.

Sonst machst Du nichts.

Du greifst nicht ein und

Du musst nichts erreichen.

Das ist alles?

Da hätte ich mir ja mehr erwartet!

Das ist ja gänzlich unspektakulär!

Tatsächlich ist Achtsamkeit nichts, wofür man sich jahrelang in luftige Höh(l)en des Himalayas zurückziehen muss.

Achtsamkeit ist eine grundlegende Fähigkeit des menschlichen Geistes.

Jeder kann es, und zu fast jeder Zeit, es sei denn, man ist nicht ganz bei klarem Bewusstsein – so nach dem dritten Glas Wein, zum Beispiel.

Moment, werden jetzt spitzfindige Geister einwen-
den aber, was ist denn, wenn ich nun schon in
emotionaler Aufruhr bin?

**Das kann ich ja nicht auf Knopfdruck abschalten!
Heißt das, dass ich in dem Fall einfach nicht achtsam sein kann?**

Wenn Du in emotionaler Aufruhr sind, also zum
Beispiel wütend, ärgerlich, traurig, deprimiert,
ängstlich, dann betrachte diesen Zustand möglichst sachlich.

Versuche die Situation
möglichst ruhig zu betrachten.

Ohne einzugreifen.

Schaue einfach genau hin,

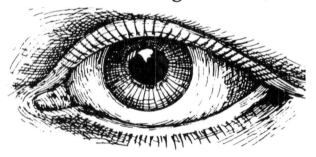

ganz genau.

Die Übung macht's!

Jetzt kommt so eine kleine Übung!

Willlkommen in der
(deiner) Achtsamkeit

So, gratuliere Dir – Du bist ein wenig Achtsam.

Jetzt kommt bestimmt Deine

einwende, wozu dann dieser

ganze Rummel um Achtsamkeit?

Wieso üben und meditieren dann

so viele Leute, und auch so viel?

Es stimmt zwar, dass man ohne Probleme
„mal eben etwas" achtsam sein kann,

aber

(und jetzt kommt der Haken) ohne Übung ist diese
Achtsamkeit halt nur schwach, löchrig und kurzat-
mig. Man könnte sagen, gehen oder laufen kann
(fast) jeder – aber nur mit viel trainieren und üben
kann man lange Strecken oder hohe Geschwindig-
keiten laufen. Wenn Du also über eine gute Achtsamkeit verfügen willst, dann führt kein Weg an
regelmäßigem Training vorbei.

Halten wir also fest: ein bisschen achtsam sein kann jeder, aber sehr achtsam sein, braucht viel Durchhaltevermögen!

Aber wozu eigentlich?

Wie ist das aber mit der Achtsamkeit?

Lohnt es sich zu trainieren?

Was kann ich davon erwarten?

Schließlich mache ich das ja nicht zum Spaß!

Hier habe ich gute und schlechte Nachrichten für Dich:

Die gute zuerst

(aus dramaturgischen Gründen, zugegeben):

Es gibt eine Reihe von wissenschaftlichen Studien (und ihre Zahl steigt), die wünschenswerte Effekte auf körperlicher und psychologischer Ebene finden.

Interessanterweise für alle möglichen Beschwerden, Leiden und Gebrechen: von Hautkrankheiten über chronischen Schmerz, bis hin zu Depression, Stress und Essstörungen.

Viele Psychotherapeuten sehen übrigens in der Achtsamkeit einen wichtigen Aspekt in Ihrer Behandlung.

Natürlich gibt es auch eine ganze Reihe von (selbst ernannten) Gurus, Heiligen und anderen Wohltätern, die auf den fahrenden Zug aufspringen (oder behaupten, sie seien der fahrende Zug) und den schnellen Weg zum Glück versprechen.

Damit wären wir auch schon bei der schlechten Nachricht:

Glaube nicht den wissenschaftlichen Studien.

Glaube auch nicht den
Psychotherapeuten.

Glaube aber auch nicht
den Gurus.

Wenn es Dich interessiert,
gibt es nur einen Weg:

Probiere es selber aus.

Wenn Du das Gefühl hast, das könnte
was für dich sein, dann gehe fair,
nüchtern und rational
an die Sache ran.

Pause? Kommt gleich.

Genau das ist Achtsamkeit: selber erfahren, unvoreingenommen.

Achtsamkeit ist eine innere Haltung, die das bewusste Wahrnehmen, das Achtgeben auf das Hier und Jetzt ermöglicht.

Es geht bei der Achtsamkeit primär um das aufmerksame und wertfreie Beobachten des Augenblicks, der gegenwärtigen Außenwelt

(z. B. das aktuell sichtbare, hörbare, riechbare, fühlbare Umfeld)

oder der

eigenen Innenwelt

(Gedanken, Gefühle, Stimmung).

Achtsamkeit entsteht nicht einfach wie von selbst, nur weil man zu der Überzeugung gelangt ist, dass es nützlich und wünschenswert wäre, bewusster zu leben. Es bedarf vielmehr einer starken Entschlossenheit sowie einer wirklichen Überzeugung. Die beste Möglichkeit unsere Achtsamkeit zu trainieren ist Aufmerksam zu bleiben.

So üben wir unsere Achtsamkeit.

Achtsamkeit bedeutet wach zu bleiben.

Es bedeutet zu wissen, was du gerade machst.

Gleich kommt noch der eine

oder andere Tipp,

keine Ratschläge oder Regeln,

wie Du für mehr Achtsamkeit

in Deinem Alltag sorgen kannst.

Es geht nur darum

bewusster zu leben

und ausgeglichener zu sein.

A
c
h
t
s
a
m
k
e
i
t

Also ich hatte echt das Bedürfnis

eine Pause zu machen,

meine Gedanken sortieren,

diese auf Papier bringen,

nochmal lesen was ich

da geschrieben habe.

Ist schon ein wenig Achtsamkeit – oder?

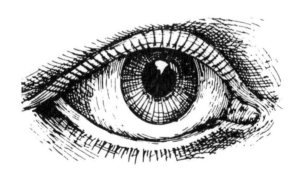

Wenn du plötzlich keine Lust mehr hast,

mach einfach mal eine Pause.

Bewusst leben.

Das Leben wird immer schneller und hektischer. Deshalb ist es besonders wichtig, bewusster zu leben und auch mal eine Pause zu machen. Nehme Dir Zeit, um sich von körperlichem und emotionalem Stress zu erholen.

Spaziergänge.

Mache regelmäßig Spaziergänge. Durch die frische Luft und die Natur wird Dein Herz-Kreislauf-System angeregt. Egal, ob im Park oder in den Bergen – nicht nur Deine Kondition, sondern auch Deine Stimmung und innere Balance werden sich durch diese Aktivität verbessern.

Bewusst kochen.

Einmal pro Woche ein neues Rezept auszuprobieren, was für eine gute Idee. Gemeinsam mit Freunden macht das Kochen sogar doppelt so viel Spaß.

Atemübungen.

Versuche auch während Deiner Arbeit oder beim Sport bewusst und kontrolliert zu atmen. Wichtig dabei ist, dass Du tief durch die Nase einatmest, die Luft einige Sekunden in der Lunge behältst und anschließend entweder durch den leicht geöffneten Mund oder Deiner Nase ausatmen. Das regt die Leistung Ihres Gehirns an und kann das negative Gefühl von Stress verringern.

Digitales verzichten.

Versuche die Benutzung von Smartphones und Laptops im Privatleben auf ein Minimum zu reduzieren, denn die Geräte sollten nicht Deinen Alltag bestimmen. Genieße morgens die Ruhe und greifen nicht direkt nach dem Aufwachen zum Smartphone. Auch abends solltest Du es zur Seite legen und sich Zeit für Deine Liebsten nehmen.

Werde kreativ.

Nähen, Backen, Basteln oder Malen. Egal was du machen willst, es sorgt für eine bewusste Entschleunigung. So kannst du die Ruhe genießen und durch das bewusste Ausführen für mehr Achtsamkeit sorgen.

Es geht allein darum, dranzubleiben und die Achtsamkeitsübungen regelmäßig auszuführen. Hierdurch vertieft sich die Fähigkeit, achtsamer durch das Leben zu gehen und sich vor Stress besser schützen zu können. Die Entspannung und das Loslösen von Stress kann erst dann entstehen, wenn wir damit aufhören, den Stress und die Stressgedanken loswerden zu wollen.

Vielmehr geht es bei den Achtsamkeitsübungen darum, im jeweiligen Moment offen die Gedanken und Gefühle zu beobachten, um zu sehen, dass alle diese Wahrnehmungen kommen und gehen, wie die Wolken am Himmel.

Bei den Achtsamkeitsübungen geht es darum, Abstand zu den eigenen Emotionen und Gedanken zu gewinnen.

Nicht um sie zu bekämpfen, nicht um sie zu verleugnen oder wegzuschieben, aber um ein wenig Distanz zu der inneren Welt zu bekommen und wieder Herr der Lage zu werden.

Achtsamkeit zu erlernen
ist eigentlich nicht schwierig.

Je häufiger man die Techniken übt, desto mehr wird sich das Gefühl der Ruhe und Gelassenheit breit machen und der Stress entschwinden.

Wer die neue Erkenntnis vertieft, erschafft neue Möglichkeiten gegen Stress, Angst, Depression, Wut, Schmerz und andere Zustände.

Je achtsamer du wirst, umso:

weniger Stress erlebst du,

besser wirst du deine Gedanken

und Gefühle wahrnehmen,

mehr Einfluss hast du auf dein

Leben.

Fange mit kleinen Schritten an. Aber ein gewisses Maß an Beharrlichkeit ist schon ein zuverlässiger Begleiter für ein wenig mehr Achtsamkeit in deinem Leben.

Achtsamkeit bedeutet im Hier und Jetzt zu sein, und zwar nicht nur körperlich, sondern auch mental.

Achte auf den Moment,

aber ohne diesen zu bewerten.

Denke immer daran:

Der perfekte Moment?

Nimm dir einen
und mache ihn
einfach Perfekt!

Die Wahrnehmung

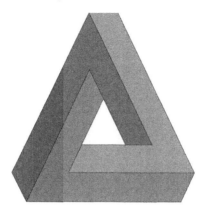

Die Welt, in der wir alle leben, spiegelt uns alle wider. Wir sehen alles mit unseren rationalen und
emotionalen Fähigkeiten.

Je nachdem was stärker ausgeprägt ist. Wir nehmen etwas wahr, analysieren und bewerten entweder rational oder aber emotional.

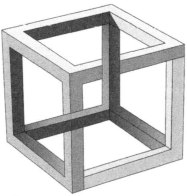

Eventuell sollte man versuchen eine Art von Waage in unseren Gedanken und Entscheidung einzusetzen um das rationale und das emotionale Verhalten von uns und das von den anderen abzuwägen.

Denk mal drüber nach:

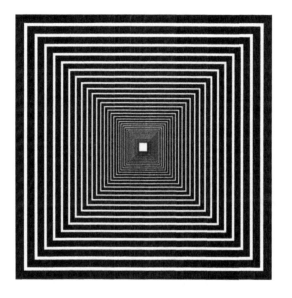

Das Herz hat seine Gründe,
die die Vernunft nicht kennt.

Der Garten

Wir alle haben unseren eigenen Garten der Emotion. Jeder einzelne ist so persönlich gestaltet wie wir es möchten und lieben. Wenn auch nur virtuell aber erst ist da - tief in uns drin. Es ist völlig egal wie dieser emotionale Garten aussieht!

Es ist DEINER!

Du allein bist der Gärtner und Du allein bestimmst was da wächst und gedeiht mit dem kleinen Unterschied das dort keine Pflanzen oder Blumen sind.

Es sind einzig und allein Emotionen, Gedanken, Gefühle und Handlungen:

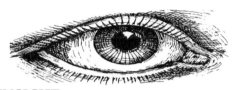

DIE EINSICHT.
DIE RÜCKSICHT.
DIE ZUVERSICHT.
DIE HOFFNUNG.
DIE RUHE.
DIE LIEBE.

Aber wenn du diesen Garten nicht pflegst dann gedeiht:

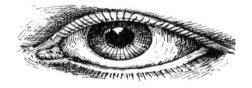

DER HASS
DER EGOISMUS
DIE IGNORANZ
DIE EINSAMKEIT

Es liegt an uns allein wie der Garten aussieht und was wir pflegen. Aber dieser emotionale Garten hat einen großen Einfluss auf unser Leben.

Ob wir wollen oder nicht er spiegelt sich in unserem Handeln wider.

Ich persönlich bin jeden Tag in meinem Garten und arbeite an meinen Emotionen, wenn ich nicht aufpasse dann gewinnen die negativen Dinge aber ich sorge für meine positiven Pflanzen damit, die negativen nicht wie Unkraut meinen Garten zerstören.

Der eine oder andere versteht schon was ich meine
und wenn nicht....na ja

dann hat das Unkraut, die negativen Gedanken,
die Macht in deinem Garten übernommen.

In diesem Sinne pflege deinen Garten.

Entscheidung.

Schwierige Entscheidungen bedeutet, dass du die „zwei Herzen in deiner Brust" fühlst,

die gegeneinander anschlagen und dich die ganze Zeit hin und herpendeln lassen.

Wenn du eine schwierige Entscheidung treffen musst, ist das Zweifeln und das Abwägen zwischen den Ausgängen dieser Entscheidungen also vollkommen normal.

Meine Erfahrung ist, dass es auch Entscheidungen gibt, an denen du wirklich nicht weiterkommst. Bei jedem Lösungsansatz, den du dir überlegst, folgt ein inneres:

Ja, aber ...

oder ein gefühltes

Das geht nicht, weil ....

Und egal, welche Entscheidung du treffen würdest, es fühlt sich immer an wie ein riesengroßer Misthaufen.

Du pendelst permanent hin und her zwischen den Optionen und kannst dich nicht entscheiden, weil es sich anfühlt wie die Wahl zwischen Pest und Cholera.

Keine der Entscheidungen ist befriedigend, aber dir ist eben auch klar, dass alles nicht unter einen Hut zu bringen ist und dass keine Entscheidung zu treffen auch keine Lösung ist.

Wenn ich auf meine persönlichen Unsicherheitssituationen der Vergangenheit schaue, dann hatte meine gefühlte Ohnmacht viel damit zu tun, dass ich niemanden enttäuschen wollte.

Manchmal mich selbst nicht

(in meinen vollkommen überhöhten Ansprüchen an mich selbst),

manchmal auch andere, die mich ihre Enttäuschung auch haben spüren lassen.

Wenn Du jetzt etwas vermisst......

so einen kleinen Hinweis auf eine Pause?

Ich möchte ja nicht,

das Dein menschliches Raubtier unruhig wird.

Mache einfach mal eine Pause,

wenn Du Lust hast.

Dieses Risiko hier oder da einzugehen und die Bereitschaft, den damit verbundenen Preis zu bezahlen, hat mich persönlich reifen lassen.

Raus aus der Zwickmühle kommst du erst, wenn du akzeptierst, dass es darum geht, eine persönlich verantwortete Entscheidung zu treffen.

Es gilt viel auszuhalten, wenn du die Bereitschaft übernimmst, eine Entscheidung zu treffen.

Begegne dir selbst deswegen mit Selbstmitgefühl.

Fühle in dich hinein und überlege dir, wie du dich selbst gut versorgen kannst, was du brauchst und was dir helfen kann, mit diesen Gefühlen einen guten Umgang zu finden.

Abschließend bleibt nur der Rat, dich auch einfach mal zu trauen und ein Scheitern, beziehungsweise eine Fehlentscheidung, in Kauf zu nehmen.

Denn oft verbleiben wir in unserer Komfortzone, weil es einfach bequemer für uns ist oder wir uns unsicher fühlen. Aber tief in uns drin wären wir gerne abenteuerlustiger und mutiger, etwas ganz Neues zu wagen.

Deshalb trau dich

ENTSCHEIDUNGEN

zu treffen.

Es fühlt sich nicht nur gut an.

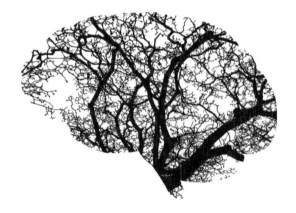

Es befreit den
Körper und den Geist!

Noch etwas zum Thema Entscheidung:

positiv
+ negativ

ICH

Ich mache jetzt Pause

Mache mal alles langsam und gediegen,
was nicht fertig wird, bleibt liegen.

Halte die Pause bis zum Ende aus,
gehe nicht früher aus ihr raus.

Enttäuschungen sind Wahrheiten mit Verspätung. Letztlich basiert eine herbe Enttäuschung auf einer oder mehrerer falschen Erwartungshaltungen. Schmerz, Frustration, Kummer, Trauer, Wut, Empörung, Verbitterung ist das Ergebnis.

Aber eins ist nun mal sicher: Wir haben nun mal alle keine Kontrolle über das Verhalten anderer oder darüber, wie sich die Dinge entwickeln.

So manch bittere Enttäuschung können wir uns in der Zukunft ersparen, indem wir weniger von anderen erwarten.

Auch wenn wir aus Erfahrungen klug werden, wie der Volksmund betreffend sagt, bringt uns jede Art von Erfahrung, ob diese nun positiv oder negativ ist auch Wachstum in unserer Persönlichkeit, besserer Menschenkenntnis und emotionaler Reife.

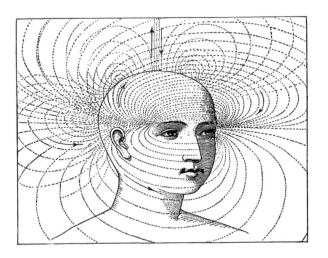

Eventuell lernen wir sogar und können unsere Erwartungen künftig mehr der Realität anzupassen und so den Enttäuschungen vorzubeugen.

Ironie und Sarkasmus, das sind die letzten Phasen der Enttäuschungen und hier nun ein paar Beispiele:

Entweder ertrinken wir in unseren Enttäuschungen

oder wir lernen, darin zu schwimmen.

Alles, was ich über Enttäuschungen weiß, habe ich von Menschen gelernt, die mir wichtig waren.

Man erlebt immer wieder

Enttäuschungen,

aber man lernt auch immer besser

damit umzugehen.

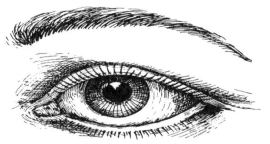

Gelassenheit ist keine Macht,

Sondern ein Kampf.

Eben ein Machtkampf!

Gelassenheit & Zuversicht

Wie wir morgen leben, hängt davon ab, wie wir heute handeln. Mit ein wenig mehr Gelassenheit können wir Kraft der inneren Freiheit und Stärke entwickeln. Es geht nicht darum, Schwierigkeiten auszublenden, sondern ihnen standzuhalten. Zuversicht und Optimismus sind eine enorme Kraftquelle für Seele, Körper und Psyche.

Das klingt natürlich zunächst verdächtig nach rosaroter Brille

und immer hübsch positiv denken.

Und doch deuten immer mehr Studien darauf hin, dass Zuversicht eine unterschätze, Eigenschaft ist, die nicht nur unsere Weltsicht verändert, sondern auch unsere Gesundheit.

Deswegen ist der Optimist aber noch lange kein Träumer, der die Schattenseiten des Lebens einfach ausblendet.

Im Gegenteil:

Der Optimist ist ebenso Realist und sich der Risiken durchaus bewusst. Zugleich hat er aber auch den Mut, konsequent zu handeln und handlungsfähig zu bleiben. Seine Grundannahme ist nur der gute Ausgang.

Jeder hat grundsätzlich die Wahl,

ob er die Dinge positiv oder negativ

betrachten will;

ob er oder sie mit

Hoffnung und Zuversicht

eine Sache startet –

oder mit starken Selbstzweifeln und

Angst.

Das Gute an Fehlern ist,

dass man aus ihnen lernen kann.

Manche halten Fehltritte und grandioses Scheitern

gar für den besten Lehrer überhaupt.

Wenn der Mist erst mal passiert ist,
setzen wir uns hin, blicken zurück,
analysieren das Missgeschick, ziehen daraus
Schlüsse und machen es das nächste Mal besser.

Hoffentlich!

Zuversicht und

Gelassenheit

können

Wunder

bewirken,

eine Garantie

gibt es aber nicht.

Dinge ändern sich. Menschen und Zeiten auch. Deswegen müssen wir uns ständig anpassen.

Solange aber alles glattläuft, vergessen die meisten, sich auch weiterhin zu hinterfragen.

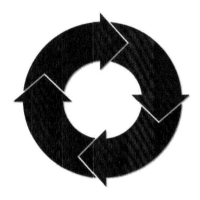

Sie versäumen zu reflektieren, was sie einst so erfolgreich gemacht hat – und ob das auch künftig Gültigkeit hat.

Zuversicht vertraut darauf, dass das was man tut, erfolgreich sein wird oder mindestens doch zum Guten beitragen wird.

Du kannst den Sturm nicht beruhigen.

Du kannst nur versuchen,

selbst ruhig zu bleiben.

Aber besondere Menschen können uns

auffangen,

wenn wir hinfallen,

oder uns beim Aufstehen helfen.

Denke mal über dein persönliches Umfeld nach. Dort gibt es Personen die können verletzen, manipulieren, enttäuschen, aber ebenso begeistern, aufbauen und Mut machen. Dein wahres Vertrauen in den Lauf deines Lebens zeigt sich darin, dass du die Dinge nicht mehr mit „gut" oder „schlecht" bewertest, sondern dass du sie mit Gelassenheit so sein lassen kannst, wie sie sind.

Kämpfe um das,

was dich weiterbringt.

Akzeptiere das, was du nicht ändern
kannst. Und trenne dich von dem,
was dich runterzieht.

**Vergesse nicht deine Fehler, aber
halte sie dir nicht dauernd vor.**

Vergleiche dich nicht mit

anderen, denn es ist Dein

Leben.

Gib dir einfach die Zeit, die du brauchst. Zeige Gelassenheit in Entscheidungen, bei denen man Tatsachen hinnehmen muss, die man nicht ändern kann.

Ich habe in meinem Leben
schon unzählige Katastrophen
in meinen Gedanken durchlebt.

Aber die wenigsten davon
sind eingetreten.

Weisheit bedeutet auch mal eine Pause einzulegen!

Verbringe jeden Tag eine kleine Zeit mit dir selbst.

Die Erkenntnis

Erkenntnisse bringen Klarheit, erweitern den Horizont, helfen uns zu verstehen und inspirieren uns.

Wer bin ich?

Was will ich?

Was bewegt mich?

Diese Fragen stehen im Mittelpunkt, wenn es um Selbsterkenntnis geht. Durch Selbsterkenntnis kannst du realistisch einschätzen, welche Optionen du hast – beruflich wie privat. Entdeckst du Schwächen, kannst du diese gezielt ausmerzen. Deine Stärken werden dir dadurch vielleicht erst so richtig bewusst. Das stärkt dein Selbstbewusstsein – und hilft dir, neue Herausforderungen anzunehmen.

Mann kann daher auch sagen:

Selbsterkenntnis ist eine der
wichtigsten Voraussetzungen,
für unsere Beziehungsfähigkeit,
für Empathie und
ein funktionierendes
Sozialleben.

Empathie?

Funktionierendes Sozialleben?

Bevor es nun weitergeht..

Eine Pause,

endlich mal

Zeit und Ruhe für

ausgedehnte

Langeweile.

Jetzt wünsche ich Dir viel Spaß beim Lesen und nachdenken, bei meinen Gedanken und Ideen und die von meinem menschlichen Raubtier.

Die sogenannten Lebensweisheiten.

Lebensweisheiten das sind diese Zitate und Sprüche, die Weisheit auf den Punkt bringen, können.

Manchmal sind Lebensweisheiten auch ein bisschen altbacken. Oder moralisch. Oder unfreiwillig lustig. Aber darüber kann ein menschliches Raubtier hinweglesen.

Es könnte sich lohnen, die eine oder andere Lebensweisheit zu kennen. Lebensweisheiten können uns den Rücken stärken in einer Krise. Schöne Sprüche können uns zum Lachen bringen, aber auch zum Nachdenken.

Lebensweisheiten beruhen auf den Erfahrungen, die ich gemacht hat. Das Ergebnis sind unzählige Sprüche mit Weisheiten unterschiedlichster Ausprägungen.

Und hier geht es los.

Wenn Du anderen Helfen kannst, mache es. Ist es Dir nicht möglich, dann füge Ihnen keine Schmerzen zu.

Den Charakter eines Menschen kannst Du danach beurteilen, wie er diejenigen behandelt von denen er weder Vorteil noch Nutzen hat.

Auch wenn Du ab und zu mal nicht mit den Wölfen heulst, Du mal gegen den Strom schwimmst. Dann wird Dein Erfahrungsschatz etwas voller an Ecken und Kanten sein, aber wertvoller als ein rundes Nichts.

Die Kompetenz, andere Menschen zu respektieren, hängt weitgehend von der Fähigkeit ab, sich selbst zu akzeptieren.

Auch eine Möglichkeit erfolgreich zu werden.es noch einmal versuchen!

Ich habe verloren! Denke immer daran: Wer kämpft, kann verlieren. Aber wenn du nicht kämpfst – dann kannst du auch nicht gewinnen!

Das Leben besteht nicht aus lesen und hören – sondern aus nachdenken und Selbermachen!

Erinnerung …......, man sieht manche Dinge so wie sie nie waren, um so länger sie zurückliegen, umso verklärter werden sie!

Glück entsteht oft durch Aufmerksamkeit in kleinen Dingen, Unglück oft durch Vernachlässigung kleiner Dinge.

Die Wahrheit zu respektieren ist leichter, als die Wahrheit zu kommunizieren!

Den Optimisten misst man nicht nach seinen Erfolgen, sondern nach seiner Fähigkeit aus Erfahrungen zu lernen.

Das Entscheidende am Optimismus ist, dass man lernt und es wieder versucht.

Ob du schnell oder langsam gehst, der Weg bleibt immer der gleiche. Das eigentlich Entscheidende ist, das du dich auf den Weg machst.

Ein Freund ist ein Mensch, der dich so nimmt, wie du bist und nicht so, wie er am wenigsten Schwierigkeiten mit dir hat.

Der Weise sagt das, was er zu sagen hat, nie das was er sagen soll!

Die Wahrheit zu respektieren ist leichter, als die Wahrheit zu kommunizieren!

Die drei Säulen für Menschlichkeit:

Anständigkeit,

Wahrhaftigkeit

und die

Zuverlässigkeit.

Moralische Stärke ist eine Herausforderung gegenüber all den Menschen, die sie nicht haben!

Völlig ausgeschlossen, dass es auf der Welt keine Toleranz gibt. Denn jedermann ist der Meinung, dass er genug davon habe.

Auch wenn wir versuchen unser Mitgefühl und die Trauer zu teilen, ist der Schmerz für den betroffenen, nicht aufteilbar.

Einige Menschen sollten wir so ignorieren, das sie in unserer Gegenwart an Ihrer Existenz zweifeln.

Habe immer Respekt vor dir selbst und Akzeptiere die Verantwortung für deine Handlung.

Die Kompetenz, andere Menschen zu respektieren, hängt weitgehend von der Fähigkeit ab, sich selbst zu akzeptieren.

Auch eine Möglichkeit erfolgreich zu werden,es noch einmal versuchen!

Erinnerung ……..., man sieht manche Dinge so wie
sie nie waren, um so länger sie zurückliegen, umso
verklärter werden sie!

**Es gibt Momente im Leben,
die Du niemals ändern kannst:**

Zeit, Worte und Chancen!

Also überlege genau wie Du leben
willst und ob es richtig ist wie Du es
jetzt im Moment machst!

Dieser Augenblick

wo du sagst
Es geht mir gut!

Und ein Freund nimmt
dich in den Arm
und sagt:

Was ist wirklich los,
mein Freund.

(Mal was persönliches, vielen Dank mein Freund.)

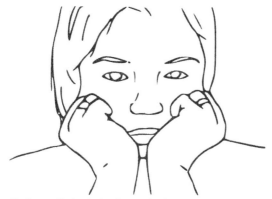

Das Leben: Sei einfach mal glücklich, wenn du gewinnst, wenn du mal verlierst, hast du was gelernt!

Ein Lächeln, eine Umarmung oder nur ein gutes Gespräch, das ist leben!

Denk mal darüber nach, wer an deiner Seite stand, als niemand mehr da war!

Mal so unter uns, Pause ist doch Okay?

Oder?

Da bin ich dabei.

Sei Ehrenhaft, aber verschwende keine Zeit es anderen zu beweisen!

Die starken Menschen in unserem Leben! Sie lächeln, machen viel Spaß, sind immer gut gelaunt. Aber ihre Seele ist voller Narben.

Es gibt Tage, da würde ich gerne unter Tränen bei einem lieben Menschen zusammenbrechen, alles herauslassen, aber ich kann nicht!

Menschen die schweigen, wissen das Worte verletzten!

Sinn des Lebens?

Lieben!

Leiden!

Kämpfen!

Gewinnen!

Wer liebt leidet.

Wer leidet kämpft.

Wer kämpft, gewinnt!

Wenn dein Leben im

Augenblick nicht

PERFEKT

ist.

Denke an die Menschen,

die dein Leben

PERFEKT

machen!

Du urteilst über mich?

Kein Problem!

Gehe mal die Wege,

die ich gegangen bin!

Lernen und Lehren

Wenn Du ein Pinsel hast -

Dann bist Du noch lange kein Künstler!

Wenn Du ein Kochlöffel hast -

Dann bist Du noch lange kein Koch!

Wenn Du ein Fotoapparat hast -

Dann bist Du noch lange kein Fotograf!

Wenn Du einen Führerschein hast -

Dann bist Du noch lange kein guter Fahrer!

Du musst üben üben und noch mal üben!

Wenn Du ein Hirn hast -

Dann bist Du noch lange nicht Intelligent!

Du musst lernen lernen und noch mal lernen!

Wenn Du ein Herz hast -

Dann bist Du noch lange kein Mensch!

Wir sollten alle ein wenig mehr lernen und lehren!

Einige sagen zu mir:

Du hast dich negativ verändert.

Nein!

Das habe ich nicht!

Ich bin für nur

unbequemer geworden,

weil ich mehr zu mir,

meinen

Gefühlen

und meiner

Meinung

stehe!

Klarstellung!

Ich bin kein perfekter Mensch und ich
mache und habe viele Fehler!

Aber, ich liebe die Menschen,

die bei mir bleiben,

obwohl Sie wissen, wie ich bin!

Danke!

Und nun noch ein Blick in meine persönliche
Liste, was ich so alles unter dem Begriff

Freundschaft verstehe.

Natürlich nicht alles auf einmal.
Jedes einzelne ist für sich,
das was Freundschaft für
mich bedeutet.

Komm, wir machen eine Pause.

Wertschätzung und Respekt, Kompromissbereitschaft und Toleranz, Ergänzung und Bereicherung, Ausgleichen und Auffangen, Lachen und
Weinen, Demut und Ehrerbietung, Wertschätzung
und Respekt, Gutmütigkeit und Nachgiebigkeit,
Großzügigkeit und Freigiebigkeit, Genügsamkeit
und Enthaltsamkeit, Selbstlosigkeit und Uneigen-
nützigkeit, Kompromissbereitschaft und Toleranz,

Keine Angst, es folgen da noch einige......

Gleichberechtigung und Selbstbestimmung, Nehmen und Geben, Frieden und Freiheit, Zurückhaltung und Geduld, Ergänzung und Bereicherung,

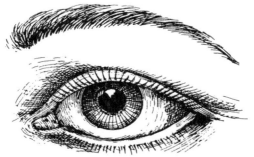

Ausgleichen und Auffangen, Zuverlässigkeit und Vertrauen, Sicherheit und Verantwortung, Kontinuität und Beständigkeit, Hilfsbereitschaft und Fürsorglichkeit, Barmherzigkeit und Mitgefühl, Rücksicht und Verständnis, Wohlwollen und Sanftmut, Anteilnahme und Hingabe, Milde und Vergebung, Güte, Gnade und Empathie,

UND NOCH SO VIELES MEHR!

Freundschaft beinhaltet:

Herzenswärme, Liebenswürdigkeit, Herzlichkeit und Menschlichkeit.

Ein wunderbares Gefühl der Geborgenheit und es ist für mich das Wertvollste in meinem Leben.

Vielen Dank an alle die mich als Freund in Ihrem Leben aushalten.

Es gibt ganz bestimmt Menschen, die leichter zu händeln sind aber nicht alle sind so lustig wie Ich!

So jetzt hast Du es erst mal geschafft. Die Reise mit einem oder auch meinem menschlichen Raubtier.

Es war mir eine Ehre das Du Dir die Zeit genommen hast meine Gedanken, Ideen und Erfahrungen zu lesen und das eine oder andere auch verstehst. Das menschliche Raubtier etwas besser kennengelernt hast. Du mal darüber nachdenkst was so abgeht in den Köpfen anderer.

Eine Bitte habe ich an Dich – über eine persönliche Rückmeldung bei einer großen Tasse Kaffee – würde ich mich sehr freuen. Jede Art von Rückmeldung ist Willkommen. Positiv oder Negativ, nur Ehrlich sollte Sie sein.

Ähhmm.... da fällt mir noch was ein, sollte hier und da mal ein Rechtschreibfehler auftauchen.

Herzlichen Glückwunsch,

den darfst Du behalten,

das gilt natürlich

auch für

Grammatik Missgeschicke.

Für die Klugscheißer unter euch:

Klugscheißer

werden immer

Klugscheißen.

Für die Besserwisser:

Iss klar! Du hast recht!

Aber ich meine Ruhe.

Als Besserwisser wird umgangssprachlich eine Person bezeichnet, die ihre Meinung in belehrend-aufdringlicher Art und Weise äußert und damit den Anschein erweckt, als ob sie in bestimmten (oder in allen) Angelegenheiten mehr Wissen oder Bildung besäße oder dazu besser urteilen könnte als andere.

Nur mal so zur Information.....

Jetzt ist an der Zeit mich zu bedanken. Bei den Menschen, die mir geholfen haben, meine Gedanken zu strukturieren und mich unterstützten bei der Erarbeitung dieses Lebensbuches.

Die in unendlichen Stunden von mir genervt worden sind, oder mich tage-lang nicht gesehen haben.

Ohne euch hätte ich es nicht geschafft.

Vielen

Dank

dafür.

Und jetzt mache ich erst mal eine Pause.

Ich bin schaukeln!